— LATERZA **SOLARIS**

Volumi pubblicati:

Giorgio Falco
Sottofondo italiano

Daniele Giglioli
Stato di minorità

Guido Mazzoni
I destini generali

VANNI SANTONI

MURO DI CASSE

www.laterza.it

Pubblicato in accordo
con Piergiorgio Nicolazzini
Literary Agency (PNLA)

La cartina è stata realizzata
da Alessia Pitzalis

Prima edizione maggio 2015

Edizione
3 4 5 6 7

Anno
2019 2020

Questo libro è stampato
su carta amica delle foreste

Stampato da
SEDIT – Bari (Italy)
per conto della
Gius. Laterza & Figli Spa,
nella collana *i Robinson/Letture*,
serie *Solaris*
ISBN 978-88-581-1618-0

per J,
che non ha fatto in tempo
ad andare a Castlemorton

PERCHÉ

È da quando ho cominciato a scrivere, dieci anni fa, che coltivo l'ambizione di produrre qualcosa sulle feste – feste intese come free party, "cultura rave", free tekno. Trovavo ingiusta la scollatura tra la complessità del fenomeno e la narrazione meschina che ne facevano i media, e volevo rendergli un minimo di giustizia. Per questo immaginavo di scriverne con gli strumenti del giornalismo o del saggio, ma ogni volta mi scontravo con le difficoltà che un'operazione del genere prevedeva. Se, come diceva Martin Mull (e non Frank Zappa, al quale viene spesso attribuita la frase), "scrivere di musica è come ballare di architettura", si capisce che scrivere di qualcosa che è musica, ma anche ballo, architettura (o più precisamente scenografia), controcultura, *loisir*, rito e addirittura tentativo di esplorazione del trascendente, risulta molto complesso. Non che non esista una bibliografia: c'è, è stata importante per la stesura di questo libro, ed è infatti elencata a margine. Tuttavia, pur potendo risultare utili a chi già conosce per esperienza diretta il fenomeno, un elenco di nomi, date e luoghi, una serie di considerazioni sociologiche, una minuziosa categorizzazione di generi e sottogeneri musicali, non potranno mai dare l'idea di cosa sia stata questa "cosa" esplosiva, multiforme, sfuggente ed entusiasmante che ha avuto luogo in Europa tra il 1989 e oggi – una cosa lunga dunque un quarto di secolo – a chi non ne ha vissuta almeno una parte. Proprio dalla consapevolezza che nessun *dato* può avvicinarsi al significato profondo del trovarsi lì, a ballare fino al mattino, e sovente fino a quello ancora successivo, in quelle industrie abbandonate, in quei capannoni, in quei boschi, in quelle ex basi militari, fiere del tessile, ballatoi, vetrerie, depositi ferroviari, rifugi montani, bunker, uffici smessi, pratoni, centrali elettriche, campi, cave, rovine di cascinali, finanche strade di città e metropoli quando venne il momento della rivendicazione, è nata l'idea di questo libro. Da tale consapevolezza, e dalla certezza che il romanzo – perché, sia pure con una forte impronta documentale, questo è *Muro di casse* – rimane lo strumento di analisi e rappresentazione più potente tra quelli a disposizione; in questo caso l'ammiraglia, parafrasando Siti, che la letteratura può schierare rispetto alla cronaca e alla sociologia, nel tentativo di venire a capo della realtà.

MURO DI CASSE

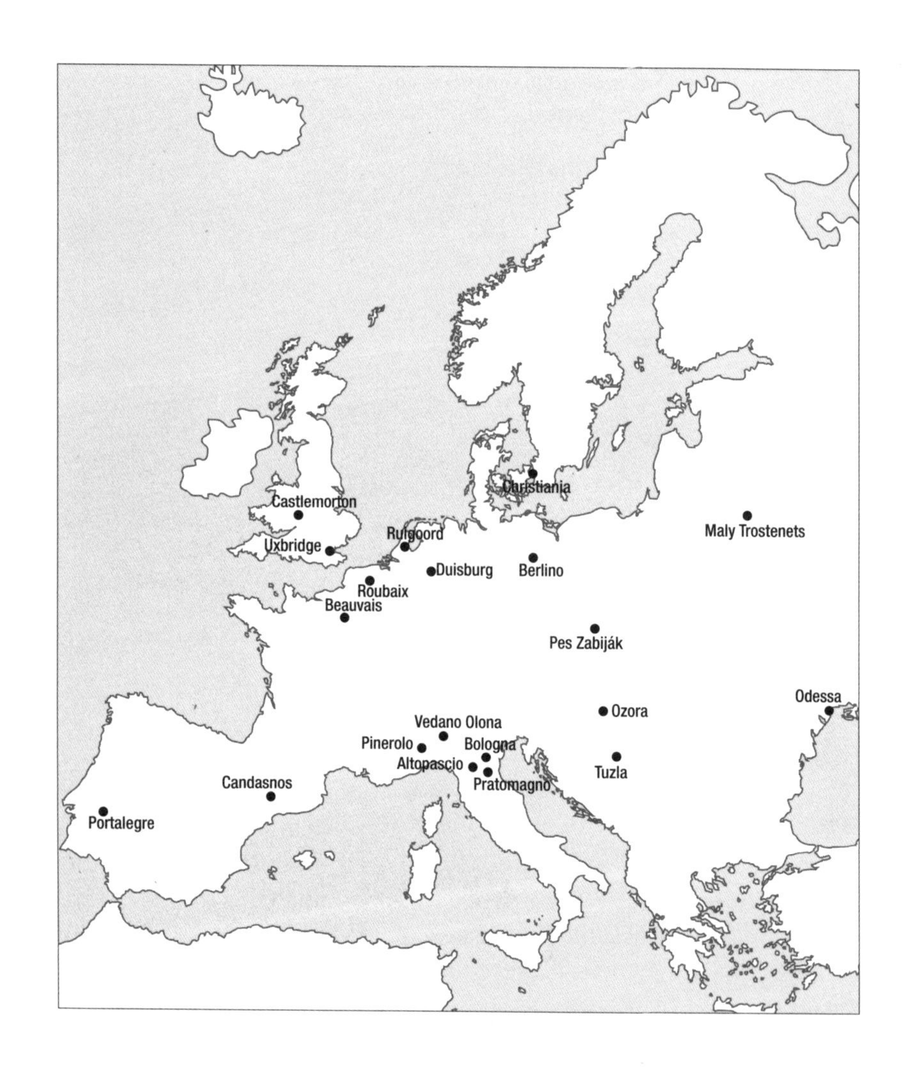
Christiania
Castlemorton
Maly Trostenets
Uxbridge
Rulgoord
Duisburg
Berlino
Roubaix
Beauvais
Pes Zabiják
Odessa
Vedano Olona
Ozora
Pinerolo
Bologna
Altopascio
Tuzla
Candasnos
Pratomagno
Portalegre

Nel mondo divenuto oscuro,
voglio battere il tamburo che non è segno di morte.

Siddhārtha Gautama

Avevi un tempo una ragazza a Brighton. Vi eravate conosciuti a una festa; a volte veniva a trovarti, altre andavi su da lei. Quando eri là, spesso andavate a ballare, occasioni in cui lei e la sua compagnia mandavano giù quantità sorprendenti di pasticche, ma ancora più frequenti erano le serate in casa a bere, nelle quali era popolare uno scherzo ai danni del primo che si addormentava ubriaco in poltrona o sul divano: per prima cosa se ne testava la reattività provando a spostargli un braccio, dandogli piccoli schiaffi o scrivendogli sulla fronte con un pennarello; appurata la non reversibilità del suo stato, gli si mettevano addosso un paio di coperte, lo si caricava su un furgone con poltrona e tutto, lo si portava in un campo fuori città e lo si mollava lì ad aspettare l'alba.

Quell'immagine, l'immagine di un tale Garry ronfante sulla poltrona che avevate lasciato in mezzo a un campo arato dell'East Sussex in piena notte, e con essa l'idea di essere vittima di uno scherzo simile ma più vasto e grandioso, di cui la tua posizione era solo il punto apicale, ti sovveniva alla coscienza di concerto con la prima percezione, quella del bracciolo scucito di un divano. Alla tua sinistra, invece, addormentato in modo orribilmente arruffato e contratto, eppure bello nello stagliarsi dei confini del suo corpo e dei suoi abiti – una felpa blu, dei jeans schizzati di fango e delle scarpe da skateboard con le stringhe tutte piene di semi spinati – sulla fantasia del divano, stava Iacopo il Gori, assieme al quale diciotto ore prima avevate raggiunto quel campo dove ancora, come testimoniava il battito ininterrotto che arrivava dalla conca sotto di voi, andava svolgendosi la festa congiunta di tre tribe quasi storiche del panorama free tekno del centro Italia. Assieme a lui, e assieme alla sua ragazza Melusine, la cui voce giungeva da dietro al divano, quasi chiamata dal tuo pensiero, o attivata assieme al vostro contemporaneo risveglio da ineffabili telepatie psicotomimetiche, poiché intanto anche il Gori andava stirandosi e un sorriso gli si disegnava sulla faccia segnata.

Tutto ti sovviene con un dettaglio particolare, inusuale dato che il ricordo di mille feste forma nella memoria non un album di immagini, ma una sola ghirlanda di lampi, suoni, epifanie, perdite, agnizioni, tensioni, rilassamenti, balli, smostrate, esplosioni di gioia o di sorpresa; ricordi il modo in cui ti voltasti e sporgesti, e dietro al divano, steso a terra, c'era un telo a motivi geometrici con al centro la grossolana raffigurazione di un alieno coi chakra illuminati, in rosso quelli bassi, legati agli istinti e ai sensi, poi giallo, verde, azzurro, su verso le funzioni intellettuali, fino al violetto di quelle spirituali, e sopra la coperta Toselli, il cane di Melusine, e accanto a Toselli Melusine a gambe incrociate e alle prese con due tessere e la custodia di un CD dove andava schiacciando e sbriciolando della polvere sassosa, e mentre lo faceva diceva:

Boia.

Panico eh, Melu'.

Via, fammi fare una raglia, disse Iacopo girandosi a sua volta, e sembravate persone affacciate a non si sa che disumano balcone, intente a scherzare con qualcuno giù sul marciapiede.

Io non so come fate a pippare la speed prima di prendere un caffè, non so, una pastina, dicesti.

Il caffè rende nervosi, fece Melusine, e scoppiaste a ridere mentre il sole spuntava per davvero e tutto si faceva giallo, un giallo che rispetto a quello di cinque, dieci, trenta minuti più tardi si sarebbe rivelato poco più di un chiarore clorotico, ma che paragonato al cielo prussia la cui luce relativa vi aveva svegliati poco prima appariva come l'oro vomitato dalla più profonda e grassa terra, e intanto vi passava accanto un tipo con un rastino penzoloni dalla nuca, e alzava il lattone da mezzo litro come a brindare a voi, o meglio al vostro divano, o meglio al vostro essere su quel divano come figure teletrasportate lì da chissà che vortice, e Iacopo ricambiava il saluto e scendeva dal divano e andava accanto a Melusine e sniffava la riga più grossa tra quelle che lei gli metteva davanti, e si afferrava il setto per il bruciore e tu pensavi che forse un sorso da quel succo di pesca Santal a mezzo lì davanti – perché era vostro, quel succo, un avanzo della sera prima, risalito non si sa quando alla collinetta del divano, la quale doveva essere poi, visto il panorama piatto e antropizzato tutto intorno, la tumulazione di una piccola discarica di inerti – avrebbe potuto sostituire il caffè, la pastina, valere come colazione, e da sotto giungeva adesso un passo più veloce, cassa dritta e basso in levare, centottanta o centonovanta battiti al minuto, frenchcore quasi, e Melusine si alzava in piedi e guardava verso la conca, un poco voltata sulla sinistra, verso il soundsystem più lontano, un muro di amplificatori uniforme e lievemente concavo, davanti alla cui nera lunghezza ristavano solo due persone: una ragazza, le gambe bianche che da una minigonna zebrata andavano a ficcarsi in due grosse scarpe da skateboard, che ondeggiava piano, facendo figure come di quadrati con le braccia e le mani, e, più vicino al muro, quasi a contatto con esso eppure immobile, un ragazzo, o ragazza, o donna, o uomo, tutto nero per la felpa nera col cappuccio tirato su e i pantaloni e lo zaino pure neri, piantato davanti al rimbombare violentissimo delle casse. Ore prima, quel sound aveva visto i suoi bei baccanali, ma adesso tutto, come seguendo un processo di transizione osmotica o secondo un programma dispiegatosi da solo secondo gli usi e la sensibilità della massa dei partecipanti e di ciascuno di loro, si era spostato al muro di casse principale, più grande e frontale rispetto al tumulo su cui stavate, una parete di una dozzina di metri decorata sulla sommità da televisori fermi sulla danza di puntini grigi dell'assenza di segnale, e lì davanti infatti si agitava una massa di tre o quattrocento persone, la quale appariva omogenea sotto cassa, una legione scura e organica, un'emanazione del muro stesso, i più dei suoi componenti che ballavano compatti con quel caratteristico movimento che assomiglia al remare, e più multiforme e agitata in mezzo, un ribollire di braccia e teste e volti, prima dello sfrangiamento, sgranato nei colori e negli occhi, di folle varianza nella babele di abiti e capelli e ninnoli e stati di coscienza dei gruppetti ridenti, urlanti, saltanti, abbraccianti, che costituiva il bordo di quella massa, la quale pure, presa tutta assieme, ondeggiava secondo un suo altro più uniforme e lento passo, simile a un telone o a un'ampissima bandiera agitata dal vento, fino poi ai singoli che ne punteggiavano l'intorno, le due ragazzine coi cappucci di peluche colorato che tenendosi per mano raggiungevano saltellando il banco delle birre, il tizio seduto a terra nella polvere come in meditazione e quello in sandali che ballava secondo un proprio ritmo scardinato, il bozzolo in fondo a sinistra attorno a cui si azzuffavano i cani, che era certamente una persona addormentata (si poteva mai dormire in quel casino? Forse sì, visto che vi eravate appena svegliati), la donna che poco più in là si fumava tranquilla una sigaretta guardando gli altri ballare, e ancora un vecchio con la zucca tatuata, che si abbassava fin quasi a terra a ogni calo di velocità della traccia per poi schizzare su, come rianimato, a ogni ripartenza, e ancora più a lato il ragazzino con la maglia da hockey troppo larga che armeggiava col marsupio tra banconote e buste mentre con le spalle seguiva il ritmo brutale della techno che ovunque rimbombava – e realizzavi che non era poi così lontano il vostro divano se potevi scorgere simili particolari, se potevi distinguere lo smascellare dell'una, il riso sguaiato dell'altro, la manica che asciugava della birra dal lato di una bocca, il volo di una cartina sfuggita di mano, e Melusine, che a sua volta era passata a rimirare quel deliquio festante di corpi tra il suolo battuto e l'orizzonte che si apriva al giorno, diceva:

Storica.

Che?

No, dico, festa storica.

Ogni volta non voglio venire, penso che mi sono rotto il cazzo, disse Iacopo tirando su col naso, e ogni volta, cioè non proprio ogni volta, ma questa volta sì, sembra la più bella, o almeno una delle più belle.

E invece, dicesti tu, approcciando il CD.

Invece che?

Invece è tutto finito.

E su, rispose Melusine, la festa era bella, *è bella*, è uno scialo, guarda come stiamo, il sole ci dà i baci, cazzo c'entra dire queste cose.

Dico solo che non è più come una volta.

Te lo spiego io, fece lei, ti sembrava meglio prima perché prima... quando sei stato la prima volta a una festa? Nel '99? Faccio su altre tre raglie? Bene. Prima ti sembrava meglio prima perché – cos'era, il '98, il '97? – a quei tempi avevi vent'anni.

Se ascolti ora un pezzo degli Spiral Tribe, biascicò Iacopo stropicciandosi la faccia, un pezzo di allora, sembra blues, boh, funk, tipo, da quanto è lento. Io mi sa che la prima volta che sono stato a una festa era il duemila, e mi sembrano meglio adesso. Cioè, non proprio ora magari, ma nel duemilaquattro, boh, duemilacinque...

Che non è adesso.

È più "adesso" del '98.

L'età d'oro sarebbe quella?

L'età d'oro, se senti la gente, disse piano Melusine mentre faceva su tre righe ancora più grosse, è sempre *prima*.

Non si tratta di un movimento facilmente storicizzabile, disse Iacopo alzandosi in piedi e stirandosi.

Non cominciare, disse Melusine.

Anche tracciare una mappatura risulterebbe complesso, disse ancora Iacopo e le fece la linguaccia.

Bisognerebbe farci un film, non so, scriverci un libro. Lo dicesti. Iacopo e Melusine ti guardarono.

Scrivilo, disse lei mentre rintuzzava le raglie.

Eh, bisognerebbe sentire gente, raccogliere testimonianze...

Sì, t'immagini, disse Iacopo. Vai da quello, e indicò un tipo svenuto di ketamina, una decina di metri sotto di voi, un lurido bancale per cuscino, e chiedigli di darti mano.

Di raccontarti di quando gli è morto il cane, disse Melusine, e abbracciò Toselli. Fai prima a sdoppiarti in tre o quattro, disse ancora, e intanto si alzava a sua volta in piedi e si sciacquava il viso con una bottiglietta, e poi ti intervisti da solo.

Potrei cominciare da qui, ce l'abbiamo già, chi fa i libri, e indicasti Iacopo che si accendeva una sigaretta mezza storta, anzi spaccata, perché tirava e tirava con la fiammella dell'accendino sotto la punta, ma quella non prendeva.

Tu ci ridi, fece lui.

Ci rido sì. Guarda come sei messo. Levati il bianco dal buco del naso.

Ci ridi, ma lo volevo fare.

E..?

Avevo pure scritto tre o quattro capitoli.

E..?

IACOPO – I SENSI

Mi avevano pubblicato un romanzo che si basava su cose che avevo visto con i miei occhi al paese e mi sembrava logico scriverne un altro partendo da altre che avevo visto fuori, qualche anno più tardi. Tra l'altro erano cose molto più interessanti: al mio paese avevo visto soprattutto serate al bar e strippate in casa della peggio gente, mentre in giro per l'Europa avevo avuto esperienza dell'unica cultura giovanile genuina dei miei anni – la azzardo, e tu interpretala nella direzione che preferisci: della cosa migliore realizzata dalla mia generazione. Avevo pensato che per fare un romanzo dalla mia esperienza delle feste, ovvero di tutto quel complesso di persone, eventi, assembramenti e spostamenti che i giornali chiamano rave (e quelli un po' più avveduti, free party e teknival, dato che, a voler essere precisi fino alla pedanteria, rave sono soltanto quelle feste svoltesi nel Regno Unito tra il 1986 e il 1993[1]), sarebbe stato necessario anzitutto dividersi in due protagonisti. Questo perché erano state due le grandi stagioni, strettamente imparentate, sebbene una fosse decisamente più selvaggia dell'altra: c'erano le feste, e poi c'erano le serate nei locali, quella che i giornali che volevano apparire vicini ai giovani chiamavano "club culture". Oggi la club culture è sepolta, di feste se ne fanno meno e comunque non

[1] La parola in sé invece va tracciata un po' più indietro. "Un termine nuovo e sgradevole è entrato a far parte del vocabolario inglese: 'raver'", scriveva il "Daily Mail" sul Festival di Beaulieu del 1961, dove erano scoppiati tafferugli tra adolescenti infiammati dai suoni selvaggi di terribili gruppi jazz.

così grandi o non così a occidente, e soltanto una terza e più tardiva stagione, quella dei festival, ovvero dei raduni goa (o psytrance, a essere, di nuovo, precisi) vive una bella salute. Per questo mi sembrava sensato ambientarci un romanzo, in quelle decennali stagioni. Per documentare (dimenticavo, o meglio non sapevo, che non bisogna mai scrivere un romanzo solo per documentare) e anche per rendere giustizia a qualcosa la cui portata e il cui splendore erano sconosciuti a chi non era insieme a noi quelle notti e quei giorni (e quelle notti e quei giorni e quelle notti e quei giorni e quelle notti e quei giorni... Ma ignoravo anche che non bisogna mai scrivere solo per celebrare). Pensai allora che la figura di un personaggio troppo vicino a me, qualcuno che avesse vissuto entrambi i contesti, spostandosi dalla fruizione, che forse un tempo si sarebbe potuta dire "borghese", delle *serate*, magari nell'ambito di un Erasmus o di una vacanza in giro per capitali europee, alla partecipazione attiva e dunque, sia pure con una componente edonistica, "militante" (che poi, chi me l'ha messa in testa questa idea che edonistico accanto a militante richiede un "sia pure"?), al movimento delle feste, non fosse abbastanza interessante. Era forse un desiderio di purezza, quello che mi portò a creare due figure, a tentare di dividermi tra Isabella, la raver irriducibile, e suo fratello Aurelio, un cimbellone che se ne andava in giro un po' a casaccio per i club delle varie capitali europee. Il risultato era che Isabella era un'idealizzazione, e quindi rimaneva sulle palle a leggerla, mentre suo fratello, al quale avevo affidato tutte le parti di me che valutavo peggiori, era una persona così orrenda da essere fondamentalmente impossibile da amare. La sorella tornava a casa dei suoi dopo anni, il fratello partiva (naturalmente per una vacanza, il maledetto nullafacente), gli equilibri familiari si spezzavano, la verità veniva messa a nudo, e intanto i salti tra i ricordi di lei, tutti di feste in giro per i più assurdi angoli d'Europa, e quello che faceva lui a Londra, Madrid o Amsterdam, avrebbero dovuto far emergere una storia e una mappa di quello che era stato il movimento dei free party da un lato, e la club culture dall'altro; di tutto ciò che era fiorito, maturato e marcito intorno all'avvento della musica elettronica in Europa.

All'inizio del romanzo, si sarebbero dovuti incontrare a Christiania. Christiania è quella cittadella hippy piazzata in mezzo a Copenhagen, negli edifici di quella che era stata una base navale. Non c'entra poi troppo con le feste se non per l'essere a sua volta una zona autonoma, la sua storia è altra cosa, altro discorso, ma quando a cavallo del duemila tutta Europa era uno spuntare di muri di casse e furgoni Westfalia pieni di spostati a cucinare ketamina in padella, ogni snodo controculturale preesistente diventava per forza di cose un punto di riferimento. Per dire, anche a Firenze avevamo uno spazio autogestito, per storia politica pure moderato, nel quale mai mancavano due o tre furgoni di cani e teknusi parcheggiati in cortile. Mentre scrivevo la scena in cui il fratello, in visita a Christiania in uno dei suoi giri da turista, incontrava la sorella dopo anni, e lei si aggregava e si faceva riportare in Italia, pensavo che sarebbe stato sensato farli partire da lì perché Christiania era comunque la più grande esperienza di autogestione in Europa, la madre di tutte le TAZ, eccetera eccetera, ma la verità era che mi premeva piazzare Isabella a Christiania perché ci avevo vissuto anch'io, e in qualche modo, sia pure con i mille filtri della finzione romanzesca, *lo volevo dire*. La sindrome da medaglia, atteggiamento affatto adolescenziale e purtroppo frequente tanto negli ambienti degli squat quanto in quelli delle feste, dove i "gradi" si misurano in base alla radicalità delle esperienze fatte e al tempo speso sulla scena, in una continua e futile sacralizzazione dell'autenticità (a meno di esserti trasformato in vecchia gloria, e allora puoi esserti pure preso i cartoni con gli Spiral Tribe ma strapperai solo qualche sorriso bonario), e infatti la prima volta che arrivai, poco più che adolescente, a Christiania e mi persi tra quei banchetti che vendevano plance di marocco da un etto e venticinque e quelle grandi case ricavate dai prefabbricati e tutte coperte di graffiti, pensai che avrei dovuto venirci ad abitare;

e quando più tardi lo feci, per anni non mancai di ricordarlo a chiunque, quasi che la cosa mi ponesse su un gradino più alto rispetto a questo o quel compagno di viaggio. Quello che non dicevo è come funzionano le cose lì. Perché a Christiania non è che ci siano troppe case, né del resto se ne costruiscono (il rischio è piuttosto che le tirino giù) sicché l'unico modo per abitarci, per piazzare insomma quella medaglia sulla felpaccia, è mettersi con qualcuno che già ci abita.

Marilith era più grande di me di dieci anni; con quei dreadlock biondi e quelle braccia sempre nude, giuro che la prima volta che la vidi mi sembrò pure bellissima. Del resto metà degli scombinati di lì le facevano la corte, sono cose che un'opinione la influenzano. Ma neanche potevo pensare in simili termini, a quei tempi. Lei era la chiave per quel posto, e poi a ventidue anni hai ancora addosso quella logica da liceo in cui tutto ciò che non è orribile è scopabile, e se dà pure status, se ti fa entrare di diritto in una consorteria, neanche ci pensi su. Mi seduceva anche il fatto che una donna adulta, una donna che aveva accesso a riserve infinite di canapa e funghetti, potesse prendermi a vivere con lei.

Non era molto bello scoparci, perché Marilith era fatta bene ma alta, un metro e ottantacinque, e solida, sicché pesava molto e aveva una forza brutale, anzi molto presto diventò proprio un'esperienza sgradevole, era troppo tosta, una enorme massa di gomma dura che scattava e si agitava intorno a una vagina, che mi schiacciava e divorava. In effetti, dopo due settimane da che mi aveva preso in casa, mi ero bell'e divertito. Mi era venuto a noia il modo in cui gridava Iacopo, che era tipo YA-GÅ-PÅ, e il modo in cui rideva, e quello in cui si ubriacava e su tutto la sua mole rispetto a me che ai tempi ero davvero molto magro, e quando poi un giorno (stavo lì da una ventina, più o meno), si piazzò in casa un suo vecchio amante che te lo avrei fatto vedere, sembrava Freewheelin' Frankie dei Freak Brothers ma senza più un braccio, e aveva pure la pretesa di rimanere lì da noi per non si sa quanti giorni – c'era qualcosa di non detto? Lei si aspettava che facessi l'uomo?

Che mettessi alla porta quell'invalido o che lo menassi (con tutto che poi magari era l'invalido a dare una coltellata a me)? Dovevo scopare *anche con lui*? Farci amicizia? COSA? – mi forzai a entrare in confidenza con un camper di tekno traveller inglesi che si erano parcheggiati a Christiania per qualche giorno, e con loro scappai. Prima di capire che dovevo tirar via anche quella felpa di Christiania con i tre tondi gialli sulla schiena, ci misi un po' di anni.

Venni via con quegli inglesi perché avevano in programma, dopo un passaggio a Roubaix, di scendere fino a Bologna. Dove fosse di preciso Roubaix non lo sapevo ma era chiaro che stava in Francia (c'era del resto la Parigi-Roubaix) e mi parve ragionevole. Che poi, lo dovevo capire subito che saremmo finiti chissà dove, ma avevo pochi soldi e la casa dell'orchessa andava abbandonata. Avevano un modesto soundsystem e come tribe si chiamavano Rolling Thunder, anche se poi tra loro solo due sapevano mettere i dischi e per gli altri il discorso era più che altro muovere ketch e fumo e vendere i palloncini con l'ossido d'azoto. Inglesi poi in realtà erano solo i due che suonavano, c'erano poi un francese, un'austriaca, un'italiana, due cani e una coppia di scozzesi con un altro furgone. In ogni caso si parlava inglese. Rispetto alle tribe che conoscevo di persona, tutte italiane, tutte un "figa" o un "dé", secondo che fossero brianzole o di Cecina, costoro mi sarebbero poi sembrati i più adatti come base per dare forma ai compagni di viaggio di "Isabella". C'erano Jody, l'inglese violento e spiccio e però cazzuto e giusto che a ripensarci oggi sembrava uscito da *This is England*, e poi Mike il mezzo giamaicano, quello di talento che infatti qualche anno dopo avrebbe lasciato la tribe per andare a suonare nel giro dei club, Renault il francese allucinato, Beatrix di Vienna, Viridiana l'italiana, Scot e Sophie i veterani che arrivavano dai new age traveller, da un mondo anteriore, ascendente per più d'un verso di quello che andavo esperendo, e poi, tutti un leccare, un abbaiare, uno scalpicciare e rotolarsi nella polvere impestata, i due molossi Maya e Vingt-trois. E con loro Isabella, ovvero io, ma il punto è che quei sette, nella realtà, mi rimanevano sulle palle, giusto i cani e Viridiana mi stavano simpatici, ed è dura far materia romanzesca di qualcosa che non ti piace. Se da un lato incarnavano l'ideale cosmopolita delle feste libere (e anzi se ero partito con loro era forse per mettere un'altra medaglia sulla felpa), dall'altro – oh, forse ero io – mi trovavo troppo meglio con i cecinesi o i brianzoli che con degli inglesi teste di cazzo, un francese allucinato, una stronza austriaca e tutto il resto della banda. L'unica che si salvava era Viridiana, appunto, ma era ostile e dura come un pannello di ferro, e a volte penso che se dopo la sera, diversi giorni più in là, in cui facemmo l'amore, non volle più farlo, non era perché prima stava col francese, ma perché non aveva ancora stabilito se ero abbastanza addentro le feste o no (se aveva acconsentito una prima volta era perché aveva visto che vivevo a Christiania, immagino).

Seduto nel retro del furgone dei Rolling Thunder mi feci Copenhagen-Roubaix, che sono 997 chilometri senza contare che Jody sbagliò strada due volte e da Brema finimmo a Hannover, e poi in Belgio perdemmo non si sa come un giorno intero intorno a Charleroi, e siccome di soldi non ce n'erano tanti, si mangiava di merda e si fumava il giusto (e quindi figuriamoci il resto, a parte Beatrix che stagnolava di nascosto, ma si vede che la roba era sua) e a tornare oggi a certi tramonti sulle piazzole autostradali del Belgio – momenti che sarebbero stati perfetti per offrire la sponda a frasi tipo Non potrete certo venirci a dire che non eravamo liberi – in quella bellezza io pensavo solo Ma quando cazzo gireranno il culo verso l'Italia 'sti spostati, e però a ripensarci devo fare comunque i conti col fatto che, oh, non mi saranno piaciuti e io non sarò piaciuto a loro, ma non mi avevano mai visto e mi avevano preso su, e quel che c'era l'avevano sempre diviso senza approfittarsi. Fatto sta, comunque, che arrivato a Roubaix avevo già litigato due volte con Jody e una con Scot e voglia di far festa ne avevo poca.

A Roubaix avremmo dunque avuto una protagonista spenta, priva di entusiasmo nonostante la rarità di una festa di tali proporzioni in una Francia ormai da diversi anni sotto la cortina della legge Mariani, che vietando i raduni sopra le duecentocinquanta persone aveva soffocato il movimento, favorendo però anche la migrazione di tante tribe proprio in Italia e dando un secondo impulso alla fioritura della free tekno nel nostro paese. La festa dove mi portarono i Rolling Thunder si svolgeva all'interno di un blockhaus, una sezione di linea Maginot, e per di più una sezione che passava in mezzo a un'area di terril, quegli enormi panettoni di polvere di carbone che punteggiano le scabre campagne al confine tra la Francia e il Belgio, e se a volte anche la peggio festaccia nel peggio capannone del peggio pezzo di via Emilia riusciva a brillare dei lampi della genesi e dell'apocalisse, lì, in quel nodo d'Europa tutto cemento e acciaio, dove il verticale delle vecchie fortificazioni e l'orizzontale delle nuove TAV si andavano a incrociare fra i tralicci e i capannoni di un'industria pesante ormai ferma, anche i meno in acido avrebbero avuto di che scuotersi e tremare e sgranare gli occhi e tutti i sensi.

Lei allora sarebbe andata via dalla festa tutta scazzata, e avrebbe vagato fino all'Euralille, la stazione che collega Lille-Roubaix al Tunnel sotto la Manica, e avrebbe trovato la placca d'acciaio che c'è sul muro, che io stesso ricopiai, e che dice: "*L'Eurotunnel è lungo 50 chilometri, di cui 39 sotto il mare. La profondità media sotto il fondale è di 45 metri. Aperto al pubblico nel 1994, offre un treno-navetta per gli autoveicoli, il servizio passeggeri tra Londra, Parigi e Bruxelles e il trasporto merci. Nel 2004 vi hanno viaggiato 7.276.675 passeggeri, 2.101.323 automobili, 1.281.207 camion e 63.467 autobus. Il traffico merci attraverso il tunnel nel 2004 è stato di 1.889.175 tonnellate, con un incremento dell'8% rispetto all'anno precedente. La American Society of Civil Engineers ha dichiarato il tunnel una delle sette meraviglie del mondo moderno*", e anche l'altra placca, di alluminio, che qualcuno aveva attaccato sotto con la colla millechiodi, che diceva: "*Costo complessivo:*

15 miliardi di euro. Il tunnel opera in perdita e il valore delle azioni è calato del 90% tra il 1989 ed il 1998. Il traffico complessivo ammonta al 38% dei passeggeri e al 24% delle merci previste in fase di progetto".

Avrebbe dovuto essere, credo, il lancio di una prima linea concettuale attraverso la storia delle feste: un'Europa liberata dalle frontiere ma già in difficoltà, la cui unica genuina sublimazione, avrei suggerito, erano proprio quelle tribe che grazie alla Convenzione di Schengen circolavano indisturbate a organizzar feste nei gusci vuoti delle industrie. La verità però è che *io* quel giorno lasciai la linea Maginot per l'Euralille non perché stanco delle feste ma perché i Rolling Thunder mi stavano sulle palle, e c'è ancora una verità più profonda, perché poi dal mio giro all'Euralille tornai parecchio affamato e di nuovo di discreto umore, soprattutto per l'essere, almeno, lontano da casa di Marilith (Marilith che mi aveva mandato dei messaggi in cui si mandava a fanculo me e mia madre e mia sorella, scritti in un italiano niente male, lei che neanche lo sapeva – doveva esserseli fatti tradurre apposta da qualcuno degli italiani di là, poveraccia), e intanto la festa montava, e lì nel basso blockhaus dove un tempo si attendeva il Tedesco ora Mike riscaldava col dub mentre il laser montato da Jody su degli antichi ganci che scendevano dal soffitto balenava nel buio polveroso e c'era odore di barbecue e incenso e hashish e c'erano due, tre capannelli di ragazzotti e quei mulinelli striscianti di energia che si possono sentire quando sta per venir fuori una festa di quelle belle, e mentre si alzavano qua e là i fuochi della cena mi rifocillai mangiando delle specie di arrosticini di Scot e Sophie, e bevvi, e fumai, e cominciai a muovermi ai primi pezzi veloci, e insomma la festa me la feci e fu anche bella, e alla mattina, fuori, un cielo ancora di piombo sulla testa, bellissimo era ascoltarne l'eco di lontano, da sopra il terril più vicino, col nero luccicante del carbone fin quasi alle ginocchia e sulle mani: se dunque immaginavo un'Isabella stanca e svogliata era perché nel 2008, ovvero mentre immaginavo quel capitolo ambientato a Roubaix, ero stanco e irritato io, soprattutto per via di mia sorella.

Mi era capitato quell'anno di andare a tristi feste a pagamento, in Toscana o in Emilia, un ex cinema, un ARCI compiacente, una discoteca fallita che affittava i locali alle tribe, e non ero riuscito a trovare niente se non il magone di sentirmi ancora parte di una cultura morente, ma la botta vera me la diede mia sorella tornata dall'Erasmus. Eccola là, prima era tutta anfibi e sciarpina, ora mi riappare con le Osiris ai piedi, il buco al setto, la sfumatura a mezza nuca, e al polso tutta una collezione di braccialetti fluorescenti, anzi erano proprio glowstick esausti.

Cazzo è quella roba da goana.

So' stata all'anti-Boom. E al Boom.

Che ti sei presa?

(Eccoci. Quella mi racconta del suo festival, mi diventa come me, e io invece mi metto subito a fare il babbo.)

Mah md, ketch, oppio, cose così.

Vorrei prenderti tra le braccia, sorella, e dirti non inseguire un sogno che era così grande una volta e così piccolo adesso... Invece dico:

La ketamina spero non insieme ai superalcolici. Non voglio che ti tirino fuori morta da un fossetto.

Gnamo, Iacopo, vien via...

Ma poi cosa ti devo dire, sorellina, lo so anch'io che è meglio andare in scia a una stagione selvaggia di dieci anni prima, che abbrutirsi dietro ai pub ai discopub ai locali morti, mortali, che sono rimasti in una provincia al collasso, in una città agonizzante, in un'Italia brulicante di vermi. Bene, fai, ad andare all'anti-Boom e pure al Boom, e la ketch prenditela pure col calvados, cosa sarà mai, anche quel perdere i sensi e vomitarsi addosso sarà tutta vita, tutta vita. Pensavo questo e però mia sorella mi irritava, mi irritava il fatto che giungesse nel 2008 a informarmi che dai miei tempi erano passati dieci anni oppure zero, e allora proprio nel 2008, proprio qualche mese dopo quel dialogo, volli provare a riprendermi la nostra stagione di un tempo, tribe non ce n'erano davvero a portata così chiamai il Dimpe, un mio amico dei bei tempi, e partimmo, ma quell'*oppure zero* non esisteva, e la realtà sarebbe venuta a ricordarcelo.

Andammo a Candasnos. Non sapevamo che sarebbe stata esattamente Candasnos, ma partimmo per la Spagna del Nord, sulla base di un flyer pubblicato su Shockraver che annunciava una grossa festa, coinvolte alcune tribe italiane di formazione recente ma reputabili. Convocato il Dimpe, ormai medico e padre ma sempre disposto a trasferte, sia pure da farsi secondo modalità per così dire controllate, con una città su cui far base, un volo e poi un'automobile a noleggio, niente furgoni né cani né passaggi né cose illegali nascoste in giro, facemmo proprio così, e raggiungemmo Barcellona e dopo una prima serata mangereccia eravamo belli felici e pronti ad affidarci all'infoline, come due turisti del rave qualunque. Il che mi porta all'altro e speculare filone del romanzo che volevo scrivere, in cui si sarebbero dovute narrare le avventure del fratello. L'idea era di mettere a contrasto la scena dei free party con quella dei club, ma anche di parlare del fatto che c'era ormai un'intera Europa di capitali e località turistiche che può essere girata senza soluzione di continuità attraverso una serie di voli low-cost, e un'altra, parallela e invisibile, vera e propria materia oscura del continente, che esiste solo per chi si sposta con un furgone attraverso strade statali e provinciali; io stesso avevo fatto un giro di mezza Europa a colpi di voli economici, qualche anno prima, e nell'ingenuità del mio 2008 mi sembrava forse un tema abbastanza interessante da costituire la spina di un romanzo. Un paio di punti d'interesse c'erano davvero: la fine di un'era della cultura giovanile, quella degli Interrail, e il contrasto che i turisti da capitale degli anni zero marcavano rispetto ai tekno traveller; una generazione senza più il treno, divisa piuttosto tra la Ryanair e i furgoni scassati. Ma ecco il nodo reale, la ragione profonda. Ero diviso. Ancora nel 2008, e il viaggio che andavo intraprendendo ne era conferma. La mia identità rispetto a tutta la faccenda ondeggiava tra una tensione verso una mai pienamente praticata purezza del radicalismo e una più pigra, forse addirittura vile volontà di godere solo delle parti piacevoli, senza l'impegno e gli sbattimenti che comporta una vita sempre sulla strada.

Lanciata la nostra Seat a nolo, secondo le indicazioni dell'infoline, nelle terre brulle tra Barcellona e Saragozza, la voce registrata ci aveva poi indirizzati oltre Candasnos, uno spopolato villaggio dell'Aragona, ultima scolta degli uomini prima del nulla. E le due rotonde di cui parlava la voce proprio in quel nulla gettavano le loro strade: un deserto tiglioso, punteggiato di cespi marroni, attraverso il quale la strada correva in lunghe e basse cunette, incrociando altre strade simili ogni due o trecento metri. All'orizzonte, punti rossi sospesi in aria, luci di invisibili tralicci o installazioni estrattive, mentre sulla strada si susseguivano animali schiacciati, specie di volpi o cani selvatici, le budella che uscivano lunghe e viola a tagliare l'asfalto.

Il panorama era immutato da quasi due ore quando ai lati della strada cominciarono a vedersi mucchi di sabbia e macchinari abbandonati; si manifestò anche un puzzo di sterco e concime chimico, finché non spuntarono una, due, dieci abitazioni. Ontiñena, diceva un cartello rugginoso. Un bastione, non si sa se di chiesa, forte o galera, dominava l'ultimo tornante, dopo il quale si dispiegava un villaggio di case basse e poveri condomini addossati alla strada. Davanti a essi, anziani su sedie di plastica bianca ci guardavano passare. Feste, nessuna.

Dopo qualche ora avremmo saputo dall'infoline, aggiornata con una nuova registrazione, che le tribe erano state sgomberate dalla Guardia Civil mentre montavano, a conferma del fatto che l'idea di un sogno di feste libere che procedeva verso occidente era fallace: che solo a est c'era ancora ossigeno. L'infoline diceva pure che la festa si sarebbe spostata da un'altra parte, che l'appuntamento era fissato presso un autogrill un paio di centinaia di chilometri più a nord. Per quanto ci riguardava, perduta la notte e avendo l'auto noleggiata ancora per sole trentasei ore, non potevamo far altro che tornare a Barcellona. Ci togliemmo lo sfizio di far l'alba a Saragozza, *e non vi dico quanto sia imponente la Basilica di Santa Maria del Pilar, perché è una cosa che va vista...* Puttanate: la verità è che eravamo soltanto depressi mentre giravamo sotto a quella cazzo di chiesa gigante. Quel momento avrebbe potuto essere un punto zero, la sconfitta finale dei raver che non riescono più neanche a trovare la festa. Ma la verità era che se davvero una tribe fosse stata al posto nostro, sarebbe andata all'appuntamento all'autogrill, e anche a uno successivo, altri duecento chilometri più in là, finché non fosse riuscita a montare, non importa quanti calci nel culo gli avrebbe dato la Guardia Civil. Eravamo noi, invece, a essere già tornati a essere due ragazzotti di provincia venuti in vacanza a Barcellona: non aspettavamo altro che tornare in città, contattare un nostro amico che vi si era ritirato, farci girare un po' di contatti e buttarci alla svelta nella vita appiccicaticcia e vacanziera di lì – che siano tapas, birrini, coca, turiste, clubbini, ostelli, ci dia quel che vuole, Dimpe, ma quest'ovest ci dia qualcosa, che il giro a vuoto, il giro a vuoto mai.

A est, invece, tra i posti in cui ero stato per feste c'erano Maardu e Călugăreni; Estonia, Romania: poteva aver senso parlarne, descrivere il movimento verso oriente intrapreso dalla cultura rave, ma il fatto è forse che era pretestuoso questo voler per forza mandare un personaggio in questo o quel posto, tentare di tracciare una mappa equilibrata, diffusa, d'Europa attraverso le feste più esotiche a cui ero stato io o chiunque altro, perché sarebbe stata, oltre che una tra mille mappe possibili, una mappa di omissioni: per ogni festa a Maardu o Călugăreni andavamo a dieci a Montelupo Fiorentino o Segrate o sulla Prenestina o negli squat di Bologna, e per ognuna di esse ce n'erano altre cento, analoghe, negli altri paesi. Come in un frattale in quegli anni esisteva una grande mappa continentale per chi guardasse da lontano, e una piccola mappa locale, per ogni nazione e regione e provincia, che appena si fosse zoomato si sarebbe rivelata altrettanto ricolma di puntini. E infatti, dovessi tracciare oggi una mappa, marcare davvero quadri cruciali, evocare i primi ricordi che come fuochi vengono a segnare il sipario degli occhi chiusi, mi vengono: Bologna 2000; Pratomagno 2004; Altopascio 2007. Ecco la mia Europa.

Altopascio, settembre 2007. Kernel Panik e Tomahawk la musica, Tequinox il nome della serata, o meglio delle quattro serate consecutive. Noi nel ventre più umido della notte attorno a un fuoco di cassette per la frutta, un cerchio di riflessi bagnati di occhi, di fondi di occhi, mentre a destra, come un'autostrada ma buona, una cometa di luci la coda delle auto che venivano a raggiungerci, che seguivano il richiamo dell'enorme motore o ingranaggio; che a loro volta lo annunciavano nel buio del mondo. Lì, più che a Roubaix, Maardu, Călugăreni e ovunque altrove, vi era un avvicinamento allo scopo della Cerca, a quello che ogni volta scavavamo dal fosforo dei frattali, dal fuoco delle cassette, dalle zuffe dei cani, dalla lingua tettonica dei muri neri di monoliti, dai camper infiniti uno dopo l'altro in cui comprare mezzi grammi di MDMA cartoni St. Hofmann ovuli di burbuca in cui andare a salutare Tania, Romina, Chiara la sorella del Galvani.

Accidenti Tania, o' che sasso di md è quello?

Visto, Iacopo? Non è che ne vuoi un po', no?

Dopo, magari, Ta'. Chi c'è, c'è Bongio?

No, Bongio è rimasto a Bologna, c'è la Noemi, la conosci, la Noemi?

e intanto crepita e ribolle l'aria di tuoni e qualcuno urla o fischia, e nere e bianche le bandiere con sopra sagome male abbozzate di mecha design, di pagliacci cyborg fissi in risate folli

Altopascio una piana sterminata e gli ultimi camper ancora più in là, cosa hanno messo quelli, un neon, una tenda trasparente?, c'è chi ha montato la statua in lamiera di una enorme zanzara

ancora un piccolo avamposto, tre sedie, uno stereo, sul banchetto birre Peroni e pastine, un telo arancio con gli om stampati, un incenso, le bandierine tibetane, su ognuna è stampato un mantra e il vento che vi passa sparge benedizioni

vieni Iacopo andiamo a ballare

il battito è quello del cuore di una mamma gigantesca e

pure un po' mostruosa, e la mano che mi prende il polso quella di una sorellina, e sì, andiamo,
andiamo, chiunque tu sia nel ricordo

e nel ricordo mi piacerebbe tu fossi quella ragazza su in Pratomagno, quella ragazza di tre anni prima. Quella ragazza dai capelli blu, anzi turchesi, un blu contaminato dal verde, dalla linfa o dal veleno, che mi prese la mano, là sui miei monti, una sera. Sei esistita davvero, ricordo a volte a me stesso.

Pratomagno 2004. Il teknival in Valdarno. A ripensarci, coi ragazzi di là lo vagheggiavamo, era l'epoca in cui davvero sembrava sufficiente pubblicare un'infoline con sotto la scritta OpEn tO aLL sOuNdS perché qualcuno si facesse vedere e cominciasse a montare un muro, e allora, nelle lunghe serate al bar, ecco la fantasia di metter su questo "teknivaldarno", ti immagini, dicevamo, dare come location le cave a Cavriglia o Monte Lori, e vederli arrivare da Roma, da Bologna, dalla Francia e da mezzo mondo...

E invece quell'anno, che ai miei occhi – anche se i puristi diranno che, no, vuoi mettere le feste del '99, del '97, del '95 – fu l'anno di più alto splendore del movimento, già grande ma non ancora di massa, quell'anno la realtà sarebbe passata avanti alle nostre fantasie. E io, io in quell'agosto 2004... La verità? La verità è che anche in quell'agosto 2004, già allora, ero a Barcellona come un coglione. Dopo quel primo giro a suon di voli low-cost, schiantarsi in una città europea a caso, dieci giorni di ostello con l'obiettivo di trovare una ragazza il prima possibile (oltre che il fumo) onde passare con lei i giorni successivi, era diventata una specie di routine. Mi aveva detto bene l'anno prima ad Amsterdam con un'irlandese e l'anno prima ancora con una svizzera, ci avevo preso gusto mi sa, perché anche quell'anno niente caravan, e sì che di gente che partiva ce n'era, ma per me c'era solo un ostellaccio in plaça Reial e pranzi da Maoz, e al terzo giorno eccomi a girellare per la sabbia allezzita di Barceloneta con un'austriaca stecca che ascoltava funk e fumava le Silk Cut come John Constantine.

Torno un sabato, ho la macchina all'aeroporto, da lì ripiego sul Valdarno. È il 16 agosto, forse il 17. Superato il casello, sarà la mezzanotte, non ti vedo un cordone di sagome che scavalcano un argine? Tipo il finale del *Settimo Sigillo*, ma dalla silhouette si riconoscono cappellini da baseball, cani, dreadlock, zainetti, scarpe a panettone. Una festicciola? Strano da queste parti, penso, e quasi vorrei andare a dare un occhio ma non ho spunto, è forse la mia direzione, così di ritorno in quel momento, da rendere impensabile deviare.

Il giorno dopo, domenica piena, mi sveglio che sono le quattordici passate, vado all'Ipercoop per riempire il frigo e noto le locandine della "Nazione". MEGA RAVE, nondimeno. Ora, "La Nazione" titolerebbe MEGA RAVE anche per un compleanno con un po' di musica house, ma l'occhiello "oltre cinquemila ragazzi, molti stranieri" indica che per una volta il titolo descrive quello che stava accadendo. Su Internet trovo conferma di ciò che già era evidente. Il carrozzone della stagione selvaggia, in quegli anni un'onda che appariva inarrestabile, dall'Inghilterra e dalla Francia e dal Piemonte e dall'Emilia, e giù da Roma, e di là dall'Austria e dalla Repubblica Ceca, aveva scelto il Valdarno, o meglio il Pratomagno, proprio lì, non lontano dalla mia Figline, per il teknival del 2004[2]. E mi torna alla mente il nostro vagheggiare al bar, quel sogno talmente esagerato da essere solo buffo. E invece... Ma è domenica pomeriggio: non resta che una serata, al massimo due contando i cascami del lunedì. Devo andare su.

Vado su.

Da giorni c'è una coda di auto, e da giorni c'è una carovana a piedi, dall'ultimo punto in cui si possono lasciare le macchine senza rischiare di non poterle più tirar fuori; lunga carovana per greppi e vigne, costante punteggiare di figure, cani sciolti che scartano nel buio; ogni luogo ha dodici modi per arrivarci e nessuno buono; i Metek hanno montato quasi in fondo a un canalone, i System Shock su nel prato, e i Nonem dove sono? E la Hidden Unit? Che sia nascosta davvero, stavolta?

[2] Fino a non molto tempo fa alla stazione dei treni della vicina Montevarchi si poteva scorgere un piccolo graffito, una coppia di chiavi inglesi incrociate con la scritta "TEK OK 04", unico segno di quella estate, oggi purtroppo scomparso.

chissà quanti sono
i modi
del sentire
ne abbiamo preso uno
in occidente e qualche altro
di riserva come nel
rêve
che in mille
da ogni luogo giungono in fila di auto sulla montagna

e dalle case di pietra sotto cui passi prima di arrivare, le vecchie sbirciano; sulla strada i vigili danno mano, addirittura. È esistita un'epoca, ricordo adesso, in cui sui giornali si potevano prendere per quello che erano, semplificando al massimo, quei ragazzi: appassionati di musica, solo un po' strani[3]. Tra i lampi tremolanti dei fari di chi cerca di far manovra incroci facce che vengono da lontano e altre che invece arrivano certamente giù da basso; per un Claust di Innsbruck e una Marystelle di Roubaix ecco un Baldo, un Colle, una Sarina.

E seguirò proprio te, Sarina: tu che procedi all'apparenza sicura verso il monte, con le calze smagliate e gli scaldamuscoli rivoltati sopra le scarpe da skate, con la felpetta nera su cui hai cucito, o lo hai fatto fare a tua mamma?, una toppa col logo dei Narkotek, quante volte hai fatto su e giù, in questa settimana? Chi ti ha dato uno strappo fino a mezza strada, stavolta? Che fai, ti metti da parte, ti fermi a giocare con un cane? Se fai così ti supero...

Servono capsule?

O Sara, sono Iacopo, il Gori.

[3] "In gergo si chiama 'Teknival', in pratica è un megaraduno di giovani e meno giovani tutti accomunati dalla passione per la musica tecno (*sic*), e sta andando in scena, in queste stesse ore, a Pratomagno. Il passaparola, che ha già raggiunto qualche migliaio di individui, sembrerebbe partito da un annuncio-appello apparso su un sito internet francese specializzato in musica elettronica. La festa, se così possiamo chiamarla e che ha già causato diversi problemi per quanto riguarda il traffico veicolare, andrà avanti fino all'alba del prossimo 18 agosto" ("Nove da Firenze", 16/8/2004).

Ah mi', ciao Iacopo. Vuoi capsule?

Con tutto il ben di dio che ci sarà lassù...

Bo vabbè cioè te le mettevo a dieci, è md francese...

Immagino.

Senti Iacopo... Che ce l'hai mica una sigaretta?

Tieni, Sarina, e prende la sigaretta, se la mette sull'orecchio, poi ci ripensa, la accende, intanto arrivano altri tre, piccoli come lei, due ragazzine e un tizietto con una visiera da tennis sulle ventitré.

Ciao... Lucy?, fa alla prima del gruppo, ci prende, ottiene riconoscimento; si affianca, allora, e ritrova la voglia, finalmente, di fare strada: ti seguo, Sara, hai visto cosa hanno messo su? Proprio qui da noi. Tu che per la prima volta hai visto una vera festa cinque settimane fa, che dalla loia impestata del campeggio di Arezzo Wave qualcuno ti ha caricata su, e ti ha portata all'In the wood, al confine con l'Umbria, e lì sì che hai visto i tuoni e i fulmini e i diavoli che uscivano a mazzi dalla terra, e ora puoi ben fare come se bazzicassi questi sentieri da sempre, e come se questi sentieri per sempre dovessero esistere: non è così, Saruccia, vorrei dirti oggi, ma intanto ecco i primi tuoni, e i primi camper scassati e coperti di adesivi, ecco che sbirci quelle lucine che sembrano di lanterne a olio, lì nel riflesso di quegli interni di legno o simillegno, e c'è chi vende sebbene l'ora non sia tarda, te lo figuri a dire *Veggano, veggano che fiore di mercante! Qui v'è di tutto; e son nullameno tutte cose rarissime e senza eguali in terra*, oppure Oh raga, serve qualcosa?, e allora tu sbircia e salta qua e là, Sara! Altro che le capsule con cui ti bulli di smerciare anche tu, che ti sei preparata sbriciolando un grammo di md presa ieri e dividendola dentro gli involucri svuotati di qualche medicina di tua madre; qui, Saretta, c'è ogni cosa, stasera da Castiglion Fibocchi passa la Via della Seta,

ecco Odilon con l'oppio andaluso

e Kirsten con le superman bianche (tutte anfetamina)

e quel gruppo da Marsiglia con gli acidi marca Timothy, che sta per Timothy Leary, l'hai mai sentito, Sara? non prenderne più di mezzo, si raccomanda uno di loro, sono da trecentosessanta microgrammi

da trecentosessanta microgrammi

e il Falacci (lui, be', lo conosciamo) che è venuto da Reggello e ha un mezzo chilo di nero

e Rocamadour con Sayfa che hanno lo speed base, senti come odora, e la ketch indiana appena cucinata, e se vuoi anche le paste, smile blu, lo so c'è tanta md in giro, ma queste son buone davvero, guarda, te le metto a cinque, a quattro

e al camper col graffito di Luigi (quello di Super Mario) affettano panette di zero zero

ma hanno anche la ganja olandese

e alla tenda, quella con la bandiera dei pirati, hanno le micropunte e il 2C-B, addirittura

raga serve oppio, serve md

ora che si formano le prime stradelle, ora che i tuoni e i lampi si aggregano in nodi e nubi sui crinali ecco anche nascere i crocevia coi loro mercanti, ognuno una lampadina al collo o sulla testa, qualcuno il cane, c'è chi si è portato una sedia da picnic

trip?

fumo?

serve speed ragazzi?

funghetti? guardalo, col cappello da cowboy e i sandali e il torso magro e nudo su cui penzola un rosario di legno, da dove sei arrivato tu, dall'accento potresti venire da qualunque posto, essere qualunque cosa

funghetti mezzicani ragàz?

Sarina, quasi ci hai ripensato? Buoni i funghetti, ma ti sei già comprata due Timothy, stai tranquilla, che se davvero sono da trecentosessanta microgrammi, mezzo ti basta e ti avanza

GHB?

erba?

volete birre ragazzi?

fresche nella bacinella da bucato riempita d'acqua di fonte

un bicchiere di vino cinquanta centesimi!
cecina, piade, magliette,
per caso vi serve mica un generatore usato, raga? funziona eh

Si sarebbe detto poi in Valdarno, Sara, che dopo quella festa ti eri messa con un francese di una tribe, e che ti avevano ritrovata lacera e perduta su un marciapiede di Marsiglia, sembrava una storia primi anni '80, di quelle a fosche tinte; la verità è solo che avevi rivisto questo tipo incontrato all'In the wood (che poi, di lì a dire che quel Pascal, un devastato in canotta aggregatosi all'ultimo ai Sikotronik, fosse "uno di una tribe", ce ne correva), e ci avevi pomiciato e gli avevi fatto una sega e ti eri ficcata in testa di metterti con lui, ma lui mica voleva troppo, ed eri arrivata a infilarti nel loro furgone, e allora lui, va là che non si butta via niente, il viaggio è lungo e una scopata ci sta, ti aveva presa su, ma arrivati a Marsiglia si erano tutti rotti il cazzo di Pascal e quindi figuriamoci di te (alle prime beghe peraltro subito disconosciuta), e arrivati su era chiaro pure che nessuno ti avrebbe portata in giro – neanche ti parlavano! – e così, senza neanche provarci, ad andare alla festa che dovevano organizzare qualche giorno più in là in certi hangar del porto, te l'eri fatta all'indietro, elemosinando e facendoti buttar fuori dai controllori treno dopo treno, e alla fine eri riapparsa qua, un po' scossa e sbattuta, ma nulla di terribile, e però si sa, in paese ogni storia appena anomala si gonfia e sfugge di mano... Ma adesso siamo in quota, Pratomagno 2004, tutto questo non è ancora accaduto e grandi sono gli spazi bui tra i sound e possenti i tuoni, e farai bene ad approfittarne, a saltare e correre di qua e di là secondo il ritmo incessante che si alza a ogni orizzonte, ogni spiazzo è un mondo e dietro ogni crinale c'è un sound più grosso, e io stesso ti perdo, tu svalli mentre mi fermo a girarmi una sigaretta, approccio un sound che manda breakbeat, cos'è quel fagotto lì sotto, ah no aspetta è una persona... Oh mi' c'è i' Futre. Vomita, i' Futre.

Ciao Futre, che fai, sgori?

Urg, hei Iacopo, um...

Ecco un esempio di quelle improvvise fluttuazioni verso il basso del pensiero cosciente che si hanno mentre sale l'effetto della ketamina. Ad alcuni, poi, l'avvio causa una certa nausea, per l'effetto anestetico. Specie se, a giudicare da quanto il Futre sta rimettendo sull'erba bagnata, si viene da una corpata di spaghetti all'amatriciana e vin cattivo. Ma l'ho del resto visto vomitare una mezza dozzina di volte, ai tempi del liceo, quando era punk e bene declinava tale appartenenza. E sì che proprio lui allora cantava inni contro i "discotecari dai capelli colorati", sebbene al Fitzcarraldo di Terranuova Bracciolini o al Mulino di Figline Valdarno, che erano le uniche discoteche che avessimo mai visto, nessuno avesse i capelli colorati – c'erano in effetti le stesse persone che incrociavamo ogni mattina durante l'intervallo. Si trattava forse di una sovrapposizione tra i discotecari di casa nostra e quelli che a volte facevano capolino sui giornali o in tv, in un servizio sulla Love Parade di Berlino (o su The West di Venturina, che faceva 07:00-17:00 anche se ai tempi la parola rave in Italia neanche esisteva: quelli erano gli *afterhours*), i quali poi volendo erano ben più sovversivi di un gruppo di punk di paese, ma capisco l'equivoco, sono solidale: non era facile capire che ballare *poteva essere qualcosa di sensato.* Ti approcci al ballo la prima volta alle feste delle medie (*ma se serve vi porto i dischi/così potrete ballare i lenti*), è un orrore, poi al biennio c'è la discoteca della domenica, peggio ancora se non per il fatto che permette di tornare a casa la sera sfondati di cocktail e cenare di ottimo umore e solo un po' giallastri coi genitori prima di svenire sul letto, né sono migliori quei dancefloor del mare, messi su in spiaggia alle 21:30 con tre faretti colorati; e pure quando cominci a rovistare le librerie dell'usato in cerca di quei "mille lire" di Stampa Alternativa con le interviste ad Albert Hofmann o i suoi carteggi con Huxley, Jünger, Leary e Vogt, quando insomma cominci ad aprirti a una cultura che col ballo confina dai tempi dei tamburelli degli sciamani, ti capita fra le mani (nella stessa collana, peraltro) *Anche le oche sanno sgambettare*, e insomma, Don Milani non sarà Hofmann ma dato che conferma quello che già pensi è difficile non dargli ascolto, anche se il pogo, quello che fai ai concertucci punk, non è forse un ballo? Servirà ancora una fase di transizione, in quei postacci tipo Blue Kaos o Duplé dove per via della "progressive" la più turpe ottica da discoteca si mescolava con un primo, possibile, gusto del ballare per ballare (ma sempre con la testa sul fatto che ti stanno guardando, sul *come ballare*, sul cercare di non essere ridicolo, sul quando-avvicinare-quella-che-hai-puntato-prima), prima di capire che ballare è bello, anzi che il ballo è celebrazione, è rito, è il più elementare abbandono dell'io, i bambini lo sanno, basta che li metti davanti a una cassa e ballano, i bambini senza che nessuno glielo insegni girano su se stessi fino a stordirsi. Quanto ho girato! Facevo le feste già a tre anni, a casa della nonna: non mi si biasimi allora se remo sotto cassa.

Eccone un'altra che arriva dal punk, seduta sulla scaletta di un tir.

Ciao Cleo.

Oh oh, i' Gori.

Come l'è?

Mah.

Sai chi ho beccato un secondo fa? Il Futre.

Sì, l'ho visto anch'io...

Ti ricordi quando eravate punk?

Lui era punk. Io ero *Oi!*.

Ohi ohi, arriva l'accademia...

C'è la sua differenza.

Secondo te allora perché un sacco di gente è passata dal punk alla free tekno?

È normale no?

Sì?

Cercava un altro spazio di ribellione. Un altro scossone. Anche se ormai la gente non si scuote più per niente.

Be' questa festa, per dire, è un discreto bordello.

Infatti sì, fa, infatti sì, e si accende un cicchino, Cleo, con quella faccia come sempre incazzata. Ma durerà? Sarà repressa? Inglobata? Non dicevamo sempre che è necessario supportare qualunque cosa sovverta il pensiero comune? Ma è diventato così difficile, così difficile... Certo non lo potevi fare più col punk! Sai cosa ho visto l'estate scorsa a Stoccolma?

Ah già c'hai la donna su... Come sta Emma?

Tutto bene, tutto bene. Sta qua alla festa eh. Da qualche parte... Ma sai cosa ho visto su? I Bad Religion. Dal vivo. In un luna park. Tra i tiri a segno e le montagne russe. La gente che guardava il concerto dalla terrazza di un "gyros bar". Neanche vendevano la birra.

Be' magari vuol dire che la Svezia è avanti, se i Bad Religion lì sono musica per famiglie. Ti immagini i Bad Religion a Gardaland?

Tu ridi ma era triste. Come quando allo zoo vedi quelle vecchie bestie tutte spelate...

Se ci fossero stati i Black Flag sarebbe stato peggio.

O i Crass! Ma andrà tutto a puttane anche con le feste. Sai cosa cerca ormai la gente? Dico la gente che è qui col furgone, eh. Coca per scraccare. Speed. Ketch al massimo. Md e acidi sono più cose da vendere, per il pubblico occasionale.

Le cose hanno i loro cicli. Dicono che in Repubblica Ceca la situazione sia bella.

Dai retta, ma per caso ti servono cartoni?

Che, ti sei messa a fare le storie?

No, macché, è che ne ho comprati tre, poi Emma l'aveva già preso...

Che sono?

Calendari maya.

Fai un po' vedere...

Vieni, mettiti a sedere, aspetta che sposto questo tizio... Come si fa ad addormentarsi a questo modo, veramente...

Quindi il calendario maya sarebbe fatto così? Credevo fosse quello tondo, sai, con la faccia in mezzo...

Quella è una ruota solare azteca, mi dice mentre spacchetta un involucro di stagnola, poi lesta lo rinfila in tasca mentre passa una ragazza con la telecamera, e a pensarci sarebbe bello oggi ripescare quel filmato, tra i tanti, tutti di infimi spezzoni, che ci sono su YouTube, e non è poco trovarne dato che YouTube è stato aperto soltanto due anni più tardi di quel teknival, *nel 2006*, sembra che esista da sempre e sono giusto nove anni – sarebbe bello ritrovarsi, sebbene a guardare quelle clip non si capisca più cosa stesse veramente accadendo, sono girate per lo più di giorno, vedi accampamenti sparsi di cinque auto e un furgone, qualche tenda, soundsystem con una o due persone che gli ondeggiano davanti, senti frasi smozzicate in francese, in inglese, col rimbombo sempre in sottofondo, vedi passare un cane, scorgi le prime canottiere da basket (quando è stato, poi, che si è coagulata l'uniforme, che si sono imposte le canotte sportive, le Osiris D3, i pantaloncini Kani? Una volta bastava un cappellino con la tesa sfilacciata...), ma ecco in fondo a uno di quei video, come fossero titoli di coda, una lista di nomi, EN2, E2R, Hazard Unitz, Redkill, Tribal Boss, System 18, ACME, Random, Epsylon, Saltimbank, CareKillon, D.I.B., KZP, ONG Korp, Subsonik, OGM, Symbioz e non sono neanche tutte le tribe presenti, io stesso ricordo che c'erano i Metek, per dirne solo una, chissà quante di esse esistono ancora, chissà chi ricorda ancora i loro nomi, ecco un popolo senza idoli o eroi (ma erano eroi! a proprie spese, in perdita, a far pari quando andava bene, per metter su tutto quell'ambaradan – per carità, qualcuno magari faceva pure "business" ma tutti i soldi che potevi fare davvero erano spiccioli rispetto a quel che significava portare un sound fino in quei monti, dalla Francia o dal Norditalia o da chissà dove), nomi che resistono solo in queste specie di lapidi online, magri mausolei in coda a un video o su un flyer appiccicato in qualche casa, in cucina da Melusine c'è quello del teknival di Pinerolo del 2007, vi si legge di nuovo il nome degli Hazard Unitz, poi Nonem, Rmetik, THC, Puzzle, Tribe Unitz, Sbandao Bullets, Illegal Sound Resistance, OTK, Duotek, Subaliens, Enigmatik, DMT, Ketwork32, Bankitek, Stereofreezed, Blackstocksound, Bordelik, Indecis, Hekate, Systematek, Revolt99, KNS, Psykopatik, Arbotek, Baktribe, Otonom Corp, Lego, Hektek... Alcune sono tribe storiche, viste in mille e mille feste, ritrovate in Portogallo o in Repubblica Ceca, altre esistite il tempo di una o due serate, falene nel fuoco di quelle notti, e se la scienza viene pian piano a rendere giustizia ai costumi di quella cultura[4], chi ricorderà coloro che le hanno dato il sudore e gli anni? Qualche mese fa sono stato a trovare Rocamadour e Sayfa, ventesimo arrondissement, un appartamentuccio al sesto piano tutto rovinato dall'umidità, una bimba piccola e il cane in terrazza e loro che erano contro il sistema a vivere di sussidi, e li avrei voluti abbracciare mentre Sayfa versava un fondo di pastis e Rocamadour girava una canna e se la prendeva con non so che politico in tv, gli avrei voluto dire eravate stelle, non lo dimenticate, proprio voi, con quei piedacci ancora ficcati nelle scarpe da skate, con quelle facce mezze frolle dove sono rimasti i taglietti sottili dei piercing, con quella malinconia che non sapete più levarvi di dosso, *brillavate come il sole e neanche eravate presi nel fuoco incrociato di infanzia e celebrità.*

E come va, ci sono ancora le feste in Italia, chiedeva Sayfa, ma i suoi occhi parevano chiedere Davvero è tutto finito, eh Iacopo? E forse, sì, era tutto finito, dappertutto se non in Repubblica Ceca (lì a nulla era valsa anche la repressione più brutta, al Czechtek del 2005 la polizia aveva attaccato ma quelli niente, nove anni dopo stanno ancora lì a martellare), ma piuttosto, dove era cominciato?

Dove era cominciato, eh Sayfa?

[4] La classifica di pericolosità delle varie sostanze stilata dalla rivista medica "Lancet" nel 2008 colloca l'MDMA al diciottesimo posto e l'LSD al quattordicesimo, molto al di sotto di droghe pesanti come eroina o cocaina, ma anche di alcol, tabacco, canapa e benzodiazepine.

Mah, fa, e scozza i capelli alla figlia, noi andavamo a delle feste hardcore a Paris... Arrivava la police e chiedeva chi ha organizzato, chi ha organizzato? E noi: Henri! E loro chiedevano dov'è Henri, chi è Henri, chiedevano se Henri era quello che suonava e noi, no, no, Henri è un altro, e non lo trovavano mai e tutti però gli confermavano che il boss era Henri, che aveva fatto tutto Henri, che era tutta colpa sua. Che risate. Tu, Iacopo?

Io? Ero coi miei ragazzi, era il duemila. Una cosa normale. Stavamo a chiederci come avremmo buttato il capodanno, l'anno prima fai conto che l'avevamo passato a una serata di techno commerciale alla Fortezza da Basso di Firenze, una di quelle serate dove entrare costava anche ottanta o novantamila lire, ti impasticcavi, ci bevevi dietro una decina di vodka lemon e ti ritrovavi mezzo rincretinito, per terra, a pomiciare con un gavorchio.

Un *gavorchio*?

Sì, insomma, una ragazza molto brutta. Facevamo ridere, ci mettevamo delle giacchette, delle magliette... Ma quell'anno arrivò un nostro amico con un volantino in mano, c'era disegnato un cervello in una campana di vetro e la scritta BRAINSTORM, Bologna, e andammo lì e per dei ragazzi che arrivavano dal Valdarno era grossa, fuori dall'ingresso c'era una situazione che avevamo visto al massimo nei videogiochi tipo Double Dragon, bidoni di lamiera col fuoco dentro e intorno lo smazzo a cielo aperto, cartoni, pasticche, figurati che a quei tempi neanche sapevamo cosa ci fosse dentro, cosa fosse l'MDMA, pensavamo fosse anfe tagliata a morfa.

Morfina?

Sì, sai, per l'effetto entactogeno... Il "morbidone" non ce lo spiegavamo, era fuori dalle categorie di droghe di cui avevamo esperienza o di cui avevano esperienza i relitti della generazione precedente che bazzicavano i nostri stessi bar. E già allora, già allora ricordo bene una ragazza, la ragazza da cui comprammo gli acidi, Super Hofmann vecchia scuola, sole, luna, bicicletta, la scritta 1943, quella tipa sembrava uscita da *Mad Max*, aveva degli occhialetti da aviatore sul capo, veniva chiaramente da un altro mondo, da un'altra cultura, e ripeteva eh ogni anno diciamo boicotta il Livello boicotta il Livello e poi siamo sempre alle serate del Livello, suggerendo quindi che esistesse addirittura qualcosa di diverso e migliore di quello che avevamo davanti, qualcosa di ulteriore e più puro, e da lì[5] (perché poi, puristi o non puristi la festa fu bella, Sayfa, che te lo dico a fare) fu tutto un cercare di tracciare il movimento, di trovare gli affluenti di quel fiume sotterraneo, di arrivare alla matrice, fino a scovare siti come kyuzz.org, olstadsound.com, e da lì le feste, e metterci a ballare, bagnati finalmente, e per la prima volta nelle nostre vite, nelle acque di qualcosa di vero (e sudicio e strinato e pieno di peli di cane, certo, cosa c'entra).

Ed è mentre Cleo mi stacca un pezzetto di calendario maya, mentre mi alzo e me lo metto nella tasca davanti della giacca a vento, e intanto lei parla di chissà che festa o problema legato alle feste, lei che alla fine non ce la fa a non sistematizzare, analizzare, a non vedere tutto sotto un'ottica politica, lei che sulle feste ci ha fatto addirittura la tesi, al sound intanto – perché quel tir sulla cui scaletta stavamo seduti conteneva un soundsystem, che era dispiegato lì accanto, non visto perché ancora muto, scuro nella notte – ora si accendono due

[5] Il fatto è che non esistevano neanche le categorie semantiche: dagli archivi online si possono recuperare articoli su quel capodanno bolognese intitolati *Odissea rock nel 2001 da alternativi fuori orario* oppure *Al Palanord di Bologna una grande festa di suoni e immagini, per entrare nel 2001 all'insegna della contaminazione tra culture diverse*. Era per quello forse che ancora nessuno pensava a perseguitare, a reprimere: perché nessuno si rendeva neanche conto di cosa stesse succedendo. A Milano, capodanno successivo, quello davvero "purista", con il fior fiore delle tribe dell'epoca, Olstad, Desert Storm, Tomahawk, Hekate, Kernel Panik, arrivò la polizia e di fronte a quella messinscena nera e cibernetica, a quei muri di casse assommitati da schermi che trasmettevano disegni geometrici a ciclo continuo, chiesero cosa stesse succedendo e Betty, storica attivista di là, gli disse "ma niente un raduno di culture underground..." e quelli "quando finisce?" e lei "boh tra un paio di giorni" e quelli "ah bene, mi raccomando non lasciate vetro in giro" e andarono via: *andarono via.*

luci, qualcuno grida qualcosa in francese, si sente un rumore a mezzo tra un fischio e un frullio, e partono i primi battiti, e con Cleo sorridiamo,

è lì,

fu lì, che una mano prese la mia e mi portò a ballare, una mano che faceva capo a una testa di capelli mezzi arruffati, a caschetto, turchesi, con una frangia troppo cresciuta, e due occhi sottili e in qualche modo – oh, così mi sembrarono, allora? – saggi, come quelli che a volte hanno i bambini, e insieme prendemmo a ballare e senza che nulla fosse fatto o detto dai visi e dai corpi se non la celebrazione di noi e di tutti lì intorno, lei mi baciò e fui mondato.

Fui mondato da quando a sei, sette otto anni mille e mille volte andavo a giocare a casa della Laurina e mi chiedevo se davvero avrei dovuto provare ad appoggiare le mie labbra sulle sue.

Da quando vidi la Masini e il Lapi, in seconda media, chiavarsi delle gran lingue in bocca.

Da quando strappai un bacio, finalmente, quindici anni avevo, dalla Dania, grazie a un "obbligo o verità". Da quando baccagliai la Federica, la Chiara, la Beatrice, Katia, la Candice, fino a ottenere un coito da quest'ultima, diciannove anni avevo, quanta fatica.

Mondato da infiniti discorsi, palle su palle raccontate *per strappare un bacio, o al massimo una toccata di billo*, da serate "per chiarire", da cene a quattro da pompini senza ingoio da scopate venute male perché troppo sbronzi, da "one night stand" che costringono poi a scappare nella notte, da relazioni lasciate crescere solo perché lei era bella e allora mi piaceva portarla in giro, da relazioni sessuali invece coltivate al buio, al riparo, perché lei aveva qualcosa che non mi andava giù ma non volevo rinunciare a una tacca sull'aereo prima (mondato da quando, a ventitré anni, fui felice per l'essere finalmente entrato "in doppia cifra") e a una trombata sempre pronta dopo, a tutta una corda di pochezze su cui avevo costruito un'esistenza, un'idea interiore di me.

Fui mondato da tutta la merda che avevo dentro, boccate e boccate di merda, merda che scorreva profonda, e se qualche volta qualcosa da allora cercai, fu sempre e solo un riflesso di quell'allora, di noi, qualche ora dopo, che facevamo l'amore nel camper di una sua amica e le baciavo il viso e gli occhi mentre un tosa inu guardava dal posto guida, dalla rete che separava il posto guida da noi lì dietro, e io provavo a sillabare due parole in francese e lei mi prendeva in giro dicendo Arezzo, Arezzo, e io ma che Arezzo, Figline! e lei Arezzo, Arezzo, e mi guardava stringendo gli occhi a fessura e mi stupivo della nostra nudità, mi riappropriavo di quello che mi avevano tolto a sette, quattordici, diciannove, venti, ventitré anni; e sarei andato per feste, mille e mille volte ancora, l'Italia, l'Europa, credendo a volte di star cercando lei, ma in realtà cercando ancora

un'altra

rinascita

Capita poi di ritrovare Viridiana. Anni passati, sei da quei capelli turchesi, sette da Christiania: è il 2010. La incontro a Roma, in San Lorenzo, un aprile, pensa tu dopo la presentazione di un libro, come mi è venuto in mente di andarci non si sa, mi son sganciato dai letterati e girello in cerca di fumo o di una ragazza con cui attaccar bottone; la trovo a un angolo, lunga e snella e ostile come sempre, invecchiata per niente, che sta facendo la questua; per poco non chiede due spicci (o una sigaretta, o una cartina) proprio a me. Sono passati sette anni ma ha ancora con sé i cani, tutti e due, sia Maya che era sua, che Ving-trois, che era di Renault. Capita che siamo subito presi bene, che abbiamo tutti e due bisogno di essere presi bene, e andiamo a comprare due Moretti da un pakistano, e parla parla viene fuori che entrambi abbiamo sentito in giro che due settimane più tardi ci sarebbe stato il Freekuency, un festival lontano, in Portogallo, nel distretto di Portalegre, un residuo, anzi potremmo dire quasi un revival, dei nostri tempi, bello sarebbe andare eh Iacopo fa lei, e io:

Andiamo.

Che stai a di'.

Che me stai a diventa', romana, Vi'?

Mai. Che dicevi?

Dico che potresti venire.

Io? Dove?

Tu, a Firenze in treno. Io, prendo la macchina di mia mamma, ti raggiungo e andiamo.

(per un attimo mi passa davanti agli occhi l'orizzonte adusto intorno a Candasnos, ma la prendo per mano – sì, sono io a prendere per mano l'impervia Viridiana, era mai successo, così? e per un attimo più lungo del precedente, Capelli Turchesi sono io)

E andiamo in un Internet point, il sikh che guarda male noi e soprattutto i cani – punkabbestia, la rovina de Roma, pare dire con gli occhi – ma l'euro e cinquanta vale la sopportazione, stiamo a fare commercio qua, mica la morale, e con quel lentissimo Explorer su quel lentissimo HP con Piazza di Spagna sul desktop guardiamo Firenze-Portalegre,

1. Procedi in direzione sud da Piazza Carlo Goldoni verso Lungarno A. Vespucci 21 m (Chissà perché poi ti fa partire da Piazza Goldoni.

Ma lo sai almeno dov'è?

Eh aspetta...)

2. Continua su Ponte alla Carraia 150 m

3. Svolta a destra e imbocca Lungarno Soderini 550 m

4. Continua su Lungarno di Santa Rosa 300 m

5. Continua su Via della Fonderia 290 m

6. Alla rotonda prendi la 3a uscita e imbocca Via del Pignone 100 m

7. Svolta a destra e imbocca Piazza Taddeo Gaddi 17 m

8. Svolta a sinistra e imbocca Lungarno del Pignone 400 m

9. Continua su Piazza Paolo Uccello 240 m

10. Continua su Via del Sansovino 400 m

(Ma sei sicuro?

Vi', e l'ho stampato... Non è che adesso dobbiamo preoccuparci di come uscire da Firenze. Piuttosto, ma i cani?

Li ho lasciati alla coinquilina...)

11. Alla rotonda prendi la 3a uscita e imbocca Viale Francesco Talenti 900 m

12. Continua su Viale Etruria 1,3 km

13. Continua su SGC Firenze – Pisa – Livorno 2,3 km

14. Prendi l'uscita per A1 verso Bologna 7,1 km

15. Prendi l'uscita Firenze Nord per entrare in A11 verso A12 63,2 km

16. Prendi l'uscita Lucca Ovest verso Viareggio/Genova 450 m

17. Entra in A11 19,0 km

18. Prendi l'uscita per A12/E80 verso Genova/Parma 137 km

19. Entra in A7/E80 2,6 km

20. Prendi l'uscita per A10/E80 verso Alessandria/Ventimiglia/Aeroporto 12,2 km

21. Mantieni la sinistra, segui le indicazioni per Ventimiglia 146 km, Ingresso in Francia

(...chissà dove sei, oggi, Capelli Turchesi, dove siete tu e tutti gli altri)

22. Continua su A8 224 km

(Ammazza oh ma quanto è lunga?

Vuoi che ci fermiamo?

No, Iacopo, vai a diritto. Finché non ci scappa da pisciare...)

23. Entra in A7 10,5 km

24. Mantieni la destra e prosegui verso A54 1,0 km

25. Continua su A54/E80 24,0 km

26. Continua su N113 19,4 km

27. Continua su N572 4,4 km

28. Continua su A54 22,8 km

29. Mantieni la sinistra al bivio, segui le indicazioni per A54/E15/E80/Gallargues/Montpellier/Toulouse/Barcelone ed entra in A9/E15/E80 139 km

30. Prendi l'uscita per A61/E80 verso Lézignan-Corbières/Carcassonne/Toulouse 137 km

31. Mantieni la sinistra e prosegui verso A64 8,6 km

32. Mantieni la destra, segui le indicazioni per E9/Foix/Tarbes/Saint-Sébastien/Lourdes 1,1 km

(Sai che mia zia è stata a Lourdes? Chissà che le era preso...)

33. Entra in A64/E80 286 km

34. Mantieni la sinistra al bivio, segui le indicazioni per Bilbao/Saint Sébastien/Biarritz/Bayonne-Saint Léon ed entra in A63 31,8 km, Ingresso in Spagna

35. Continua su AP-8 68,7 km

36. Prendi l'uscita 69 per entrare in E-5/E-80/AP-1 verso Bergara/Vitoria/Gasteiz/Burgos 44,7 km

(E ci fermiamo a un autogrill, e dopo aver ruzzato a litigarci un pacco di cioccolato bianco, con un poco di imbarazzo, dimessi, mansueti ci baciamo e Viridiana è buona ma aspra, sa di litchi e tabacco e mi sorride come a dire cazzo vuoi scemo di merda, e io le do uno spintone, affettuoso, e come non mettersi a rubare, a quel punto, come non fare giubbotti pieni di Filipinos e Oreo e Sonrisas)

37. Prendi l'uscita 101 per entrare in E-5/N-622/E-80 verso A-1/Burgos 3,8 km

38. Prendi l'uscita per E-5/E-80/A-1 verso Burgos/Madrid 24,0 km

39. Prendi l'uscita 328 per entrare in E-5/E-80/AP-1 verso Burgos/AP-68/Logroño/Bilbao 83,2 km

40. Continua su E-5/E-80 750 m

41. Continua su E-5/E-80/A-1 6,3 km

42. Continua su BU-30 4,2 km

43. Mantieni la sinistra, segui le indicazioni per Palencia/Valladolid 146 km

44. Mantieni la destra, segui le indicazioni per E-82/Zamora/A-11/Salamanca/Portugal 198 km

45. Svolta leggermente a sinistra e imbocca N-620/E-80 4,2 km, Ingresso in Portogallo

46. Prosegui dritto su Largo 25 de Abril, 250 m

47. Alla rotonda prendi la 1a uscita e imbocca Av. das Túlias/N-332, 350 m

48. Alla rotonda prendi la 2a uscita e imbocca IP5 in direzione A25/Aveiro/Guarda, 1,4 km

49. Continua su A25/IP5, 33,3 km

(T'immagini se ci perdiamo.

Eh, t'immagini, Vi'... Magari è già successo.

Guarda là! Cosa sarà?

Una piramide, a occhio. Non chiedermi cosa significhi...)

50. Mantieni la sinistra, segui le indicazioni per IP2/Guarda Sul/Covilhã/Portalegre, 137 km

51. Prendi l'uscita 15 per entrare in IP2 verso Portalegre/N359/Nisa, 47,5 km

52. Alla rotonda prendi la 3a uscita e imbocca IP2/N18 2,5 km

53. Alla rotonda prendi la 3a uscita e imbocca Av. da Liberdade 300 m

54. Svolta a destra e imbocca Rua General Conde Jorge de Avilez 53 m

55. Rua General Conde Jorge de Avilez fa una leggera curva a destra e diventa Av. General Lacerda Machado 90 m, arrivo a Portalegre.

2110 chilometri, che saranno mai per noi, per te poi, abituata come sei a girare per intere stagioni, che saranno mai se c'è in ballo quello che siamo stati, quel che vorremmo ancora essere, se mi accompagna il fantasma di Capelli Turchesi (e a lei, che fantasma, lo spettro di chi, di cosa, la accompagna?) e infatti eccoci, due giorni di viaggio e una notte di festival più tardi, sul cocuzzolo dove abbiamo piantato la tenda, i cani dormono ed è l'alba, l'alba di un festival sparuto e tardivo ma libero, piantato coi suoi camper le tende e i soundsystem in mezzo ai colli dove gli ulivi si alternano a pietre rotonde che paiono venute a galla dalla nuda terra come bolle o boe, un festival dove tutti hanno un palloncino e noi, per un momento immemori dei traffici dei Rolling Thunder, per troppo tempo tornati italiani, alle feste italiane, lì per lì pensiamo che stiano giocando e solo dopo capiamo che è N_2O, ossido d'azoto, e d'altronde sarebbe difficile vendere in altro modo una boccata di gas (e tutto intorno gente che succhia il palloncino e giù risate, e se per caso erano già in acido allora davvero si rotolano in terra), e allora compriamo due palloncini e li succhiamo pure noi e giù risate, a scoppi e scrosci, e più volte nella notte risaliamo il colle dolce ma esposto al vento dove abbiamo piantato la tenda, e più volte ne discendiamo, una birra e poi si balla un po', una raglia e poi si balla un po', mi aspetti qui che vado a pisciare, e saltelli al sound psytrance su cui si staglia un rozzo cartello a vernice fluorescente con la scritta SPIRITUAL MYTHOLOGY e il disegno tutto sproporzionato di un omino con l'aureola che mette dischi, e ancora su e giù e poi insieme di nuovo infinite volte a ballare al sound tekno, fino all'aprirsi di un mattino mirifico, col sole e la luna assieme nella volta, il giorno e la notte insieme come sul disegno degli Hofmann, i sound giù a tuonare tra gli ulivi, e allora piuttosto che rientrare in tenda ci mettiamo ancora una volta a ballare – Stiamo ballando fuori il sole, grida Viridiana – e poi ci stendiamo sull'erba finché un tizio dietro di noi, un tipo con un pendaglio a forma di chiave, anzi era proprio la chiave di una qualche porta e pantaloni da gaucho dice:

Amigos,

e con uno stecco ci mostra uno scorpione giallo, una faccia come a dire poveri imbecilli ve ne state lì con uno scorpione velenoso accanto, e Viridiana si alza a sedere e prende lo scorpione per la coda giusto sotto al pungiglione (deve essere un trucco lucano, penso), e glielo agita in faccia e quello scappa e dice Italiana loca e Viridiana scoppia a ridere, lancia via l'animaletto e mi tira su con uno strattone e mi dà un bacio e poi, bevendo a turno del latte dal tetrapak, unico cibo rimasto dalla sera precedente, ancora per qualche ora balliamo, oltre i primi orizzonti guardiamo il sole scacciare le ombre e l'umido dall'Europa, e solo quando è mattino fatto – sono solo le otto, ma dai raggi di quel sole che scalda la terra abbiamo esperienza delle nove di Madrid, di quelle di Firenze e di Copenhagen, delle dieci di Tallinn e di Bucarest, delle undici russe col grano luccicante, del mezzogiorno di Baku, oltre mille spianate colli strade e fiumi e città – rientriamo in tenda, ci liberiamo dei vestiti asciugati dal sole e della biancheria ancora umida per la guazza della notte e ci abbracciamo in quei due metri cubi d'aria d'occidente

(alla sera, va da sé, il calo di serotonina, il non riconoscersi, le tensioni tendinee e muscolari, la spiacevolezza degli abiti sporchi addosso, fanno sì che siamo lesti a girare il culo senza spendere un'ulteriore notte e Viridiana anzi arriva a chiedermi se magari la lascio tipo a Madrid, che conosce della gente là, e davvero smollarla non mi dispiace, anzi evito pure di trattenermi a dormire da loro, e sì che potrei. Raglie, caffeini e avanti a guidare).

CLEO - L'INTELLETTO

Eccovi, tu e Cleo, eccovi con Gipo, Sylvie e Bube, avete vent'anni e andate a vedere che succede in quei capannoni dell'Osmannoro, hanno detto c'è una serata, andate a veder che banda l'è. E la banda l'è strana, è banda di teli neri con sopra loghi di maschere spiraleggianti e teschi robotici, banda di spostati che urlano e saltano, di cappellini da baseball neri e cappucci e occhialoni da aviatore e mazzi di chiavi ciondoloni, banda di stanzoni di sessanta metri per venti con tre muri bianchi e uno nero, perché è tutto fatto di amplificatori, un muro che più che il fondo della stanza sembra la facciata di qualcos'altro che c'è di là, oltre la fine dell'edificio e di ogni cosa, e il grosso della folla sta proprio appiccicata a quel muro, pressata, pare quasi volerci entrare dentro, mentre gruppetti o individui sparsi curiosano in giro, vagano apparentemente perduti o escono a pisciare. Ma il fatto è che quella gente davanti al muro balla, balla ferocemente, e a voi mica torna troppo come cosa.

Che storia è?

Mah. Non so, la musica assomiglia a quella che mettevano all'Indiano, sai, ai tempi dello smart bar, fa Cleo.

Ah le serate goatrance? Io, dice Gipo, le prime volte che andai lì mica lo capii che storia era. Quelle decorazioni fosforescenti, quella musica mai sentita, le sale vuote... Neanche capivo bene se era proprio musica, nel senso di musica da ballare o boh non so, il tappeto sonoro di un'installazione... Ovvio, ci passavamo alle dieci per comprare la space cake o il tè ai funghi al bar e neanche ci rendevamo conto che si sarebbe riempito all'una e mezza, alle due...

Oh c'è uno dice c'ha le paste, vi interrompe Sylvie che si era staccata, era andata verso la massa di gente e ora è riapparsa assieme a un tipo lungo e secco, gli occhi sgranati, un glowstick giallo da traffico al collo, che annuisce e dice sissì tulipani, tulipani verdi.

E da lì, o meglio dal mattino dopo, quando ve ne andate da quel capannone e siete colti da una soddisfazione difficile da definire, che va oltre l'ascoltato, il visto, il ballato, in cui c'entra forse l'esservi sentiti non spettatori ma partecipanti – perdio andavate a concerti, a festival rock, dalle 22:30 alla 01:00 e vi facevano pure credere che fosse bello –, capite di esserci dentro fino al collo; specialmente Cleo, che abbraccia, anzi adotta, la "cosa nuova", mira a metterla in comunicazione col movimento, a farlo da essa innervare, o addirittura a fondere tutto, chissà cos'ha in mente, che desideri intravvede in quel macello.

E dieci anni dopo la cerchi e la ritrovi in dipartimento; lei che non si doveva neanche laureare, alla fine, vuoi le entrature dei genitori, vuoi la pazienza di star lì a far lavori gratis, una borsa di dottorato era riuscita addirittura a rimediarla. Eccola lì, uguale ad allora? Diversa da allora? Sempre la testa rasata, sempre quegli anfibiacci viola, smannati, sempre la felpa di Autistici/Inventati, qualche ruga in più attorno agli occhi. Non ha più le dita gialle, però.

Hai smesso di fumare eh Cleo?

Prima o poi... Chi hai sentito per questa storia?

Che storia?

Sì, insomma, il libro.

Per ora Iacopo.

Il Gori?

Lui.

Che ti ha detto?

Eh, tante cose... Tra l'altro è stato lui a farmi venire in mente di venire da te.

La più importante? Cosa è uscito fuori?

Non so, forse una storia di emancipazione.

Aha?

Sì, tipo, boh, sessuale?

Sei venuto da me per una roba del genere? La ragazza che scopre di essere lesbica grazie al rito iniziatico? Tiè!

Ahia... Dai, stai buona coi calci... No, a dire la verità no, speravo che mi dessi qualche spunto più, diciamo, accademico.

Meno male, perché se proprio lo vuoi sapere, più che per gli Spiral Tribe l'ho scoperto per le Spice Girls.

Ti garbavano?

Tss. Ricordi Sporty Spice? Mel C? Apparve così dal nulla e sembrava mi avesse rubato il modo di vestire. Era uguale. Come teneva i capelli, i pantaloni della tuta, quel top, e tutti a dire che era lesbica. Così andai da una mia amica, le dissi hai presente Mel C, no? ma per caso la gente pensa che *anch'io* sia lesbica? Mi beccai un silenzio di quelli che ti obbligano a una scarica di sedute di autocoscienza davanti allo specchio... No, no, alle feste ci arrivai già "emancipata", se mai qualcuno lo è. Anche trovare posti non sessisti in cui ballare non fu male, ma è un altro discorso.

Non è proprio un altro discorso. In discoteca si va per rimorchiare, al rave no. La discoteca va perlopiù ad alcol, a coca, al rave si privilegiano sostanze più complesse.

Una volta alla 72 ore ho visto tre bimbette ordinare bicchierate di grappa alle otto e mezza di mattina... Comunque sì, in realtà sì, si potrebbe fare una lista, al rave puoi andartene dietro al sound e nessuno ti dice niente, in discoteca c'è addirittura il privé; in discoteca ci sono i buttafuori, al rave no; in discoteca c'è la selezione, al rave no; in discoteca il dj è una star, al rave neanche sai chi stracazzo sta suonando; in discoteca a una cert'ora tutti a casa, al rave stai quanto ti pare. Insomma, in discoteca si riproducono gli schemi di potere del mondo fuori, mentre al rave, almeno in teoria, li si fanno saltare. L'unica cosa in comune, alla fine, è l'elettronica.

Forse si potrebbe inventare un rave a tamburi. Ricordi le vecchie feste freak? I campeggi dell'Arezzo Wave e del Pistoia Blues, Pelago, le nottate a Guvano, alla Valle della Luna...

Ricordo, certo. Ma è stata l'elettronica, il battito uniforme della macchina, a far tornare il ballo alla dimensione rituale.
Welcome to the machine.
Direi più La música ideas portará... Y siempre continuará... Sonido electronico...
...Decibel sintetico.
Anche Goa Gil citava i Kraftwerk come radice.
Ci manca solo la goa...
Ohi ohi, adesso la tekno va bene e la psytrance no?
Sei tu Cleo, a dirmi queste cose? Quella che odiava i fricchettoni? Nella tua tesi mica parlavi di goa...
Nella mia tesi parlavo di stati di transe.
Ci sta che i primi neanche se ne rendessero conto. Dico, di questa cosa della transe.
Difficile dire cosa passasse in testa agli Spiral Tribe quando presero un soundsystem e lo portarono a Castlemorton in mezzo agli hippy.
Forse che musica elettronica e acidi legavano.
Quello era già chiaro con la acid house. Infatti c'è un'altra questione grossa, quella del liberarsi dalla discoteca.
Però a voler tracciare una storia, la club culture la devi prendere in considerazione.
Sì, alla fine sì, anche se rispetto alle frasette e ai jingle della dance, la techno aveva la radicalità del suprematismo, e anche per questo necessitava di contesti adeguati. Sia perché agli inglesi un sacco di idee sono venute andando a Ibiza, quando ancora vi si incrociavano vecchi freak e nuovi edonisti, se da un lato ci si liberava della discoteca, dall'altro quella si aggiornava, a quei tempi l'elettronica era così grossa che c'erano sezioni dedicate nei giornali, un momento in cui andavano a regime contemporaneamente posti come il vecchio Link di Bologna, il Maffia di Reggio Emilia, il Brancaleone a Roma, tutta una scena drum'n'bass... In realtà quella che vivemmo noi, prima di scoprire le feste, era precedente, era quel movimento del tutto italiano, se non addirittura toscano, che girava intorno a posti come Jaiss, Duplé, Baia Imperiale, Kama Kama. La gente

prendeva i pullman da Roma, da Milano, per venire in Toscana a sentire una specie di techno-progressive; posti come Figline Valdarno o Empoli avevano discoteche che almeno una sera a settimana attiravano gente da lontano, e pure in locali fighetti come la Canniccia, vicino Forte dei Marmi, la domenica sera mettevano la techno. Nomi che oggi suonano buffi come Zappalà, Gabry Fasano, Mario Più, Ricky Le Roy, in quel circuito avevano uno status di star. Tutto ciò ovviamente era in contraddizione con quello in cui cominciavamo a credere, ma se cerchi i filmati di quelle serate, davvero a rivedere quei mucchietti di tizi sudati, a torso nudo o in Fred Perry, che ballettano la prog cantando ritornelli simil-stadio del tipo "noi siam corrente elettrica, corrente molto forte, non stateci vicino...

...pericolo di morte!"

Eh. Non danno esattamente l'idea di un trionfo dionisiaco. Eppure, guarda... Nei commenti si leggono cose simili a quelle che diremmo noi, oggi, a margine di video di feste vere, gli stessi "non potete capire", gli stessi "che tempi", "irripetibile" (c'è pure chi dice "minchia che secchi di cale"), e dunque la verità probabile è che, per quanto rispetto a quei posti anche il più negletto dei free party fosse il paradiso, la musica ritmata funziona sempre *anche* combinata con l'MDMA. Ricordi quelli che tornavano induriti, le mascelle incagliate, da The West, dagli *afterhours*, fino alle degenerazioni... Un'immagine di ragazzotti con felpe rosse con croce celtica legate in vita che ballano al Number One di Brescia mi fa ancora male agli occhi.

Forse è anche per quello che ci fu contrasto nel movimento, dico tra i collettivi, nei centri sociali...

Guarda, per quello non c'è neanche bisogno di arrivare ai gabber fascisti. Tutto era ancora visto come una cosa da discotecari, inconciliabile con l'impegno. E poi, oh, dalla scena dei club sarà pure uscita buona musica, ma era un mondo nemico delle feste, non sorella come a volte ci ritrovavamo a credere.

Tipo quando andavamo al Link.

Il vecchio Link era bello. Ma era un'eccezione. Era partito come centro sociale – ai tempi non c'era mica Internet, fu solo culo se gli uscì quel nome dall'acronimo di L'Isola Nel Kantiere – in una città piena di centri sociali, e si sentiva. Bologna in quel periodo era così avanti che incarnava il meglio di entrambe le cose. Volevi la club culture? C'era, sana, al Link. Volevi i free party? Sui colli o nei capannoni c'erano tutte le feste che potevi desiderare. Eri troppo pigra per andare in campagna o per zone industriali? Al Livello 57 e poi al Ca.Cu.Bo. c'erano dei megarave prontocassa. Non ti bastava? A luglio c'era pure la Street Parade, e le street meriterebbero un discorso a sé, non era poi male l'idea della Love Parade di Berlino, un gay pride ma per le droghe e la musica, una rivendicazione della strada e della città, oddio alla prima edizione erano in centocinquanta dietro a un Fiorino con quattro casse, si deve aspettare il '94 per vedere qualche centinaio di migliaia di persone, il '97 per il milione.

Sai Cleo, ricordo la mia Love Parade, era già degenerata completamente ma dovevamo pur "marcare visita", e così eccoci nel 2006 a Berlino, a ballare dietro cassoni trance sponsorizzati da aziende di barrette energetiche mentre schivavamo vecchie pittate che cercavano gente abbastanza gonfia da lasciarsi slinguare...

A quei tempi chi voleva fare sul serio andava già a quella di Zurigo.

Sulla street di Zurigo ricordo la storia di alcuni tizi del Valdarno che andarono in auto e parcheggiarono da qualche parte e a fine parata non riuscivano più a trovare la macchina ma siccome i più dovevano rientrare a lavorare presero il treno lasciando lì il proprietario, che vagò per cinque giorni prima di ritrovarla.

Eh, la street di Zurigo era bella grossa. E poi ce n'erano tante minori, tra cui anche Firenze! Ricordi quando portammo in trionfo la statua della "Venere biomeccanica" fino alle Cascine, dove ci fu una festa in fin dei conti modesta, proprio quella 72 ore che poi crebbe da sola al crescere in Italia della cultura rave, o meglio al suo diventare, in modo distorto e incontrollabile, fenomeno di massa. Anche a Bologna c'era una bella street, poi, ovvio, come tutto in Italia degenerava, rivendica rivendica e ti ritrovi la gente a farsi le righe sui cofani delle macchine parcheggiate, e però era bella, mannaggia a lei cascava sempre quando avevo gli esami, e riuscii ad andarci solo una volta, prima che la scure di un sindaco di sinistra si abbattesse su qualsiasi cosa di bello e libero la città avesse messo fuori.

Vedi che ho fatto bene a venire da te. Tra l'altro sono sicuro che la tua tesi...

Che fai?

La cerco. Vediamo...

Dai, cosa scartabelli, stai fermo.

Eccola!

Lasciala lì...

Mancini Cleopatra: Stati di transe e cultura rave: uno studio...

Dammi qua!

Giù le mani. Sono sicuro che ci sono dei pezzi niente male... Tipo, aspetta... Vediamo... "... un tratto relativamente comune all'insieme dei sottogeneri della techno è quello di presentare dei 'pezzi', per così dire, costruiti su ritmi ripetitivi, ossessivi, fatti essi stessi per facilitare nei danzatori l'emergere di uno stato ipnotico. Questo tratto permette di avvicinare i ritmi dei rave a forme musicali più tradizionali, anch'esse associate a quei riti notturni di transe che sono i riti di possessione. Ma, a differenza della techno, la musica tradizionale di transe comporta generalmente il canto di litanie. Nella techno, invece, il canto è assente, e tale assenza di melodia e di parole costituisce un tratto originale della composizione e dell'ascolto. Tagg ha commentato..." chi è Tagg?

Un musicologo.

Ok. Dicevamo: "... ha commentato questo aspetto sulla base del rapporto tra la 'figura' e lo 'sfondo', secondo il modello della Gestalt, la Psicologia della Forma: la *figura*, nella musica tradizionale, è la melodia; lo *sfondo* è costituito da ritmo e arrangiamenti armonici. Ora, nella musica techno la figura, cioè la melodia in senso tradizionale, è assente: resta solo il fondo; e questo cambiamento troverebbe il proprio equivalente nella psicologia dei partecipanti, che vanno al rave per formare insieme uno 'sfondo' senza figure".

Un po' riduttivo ma mica male qua, Cleo, no?

Eh, ci credo...

Aspetta, anche qui... "... occorre riprendere e sviluppare l'argomentazione al termine della quale Rouget..." Rouget invece chi è?

Un *etno*musicologo.

Bene. "... Rouget giunge alla seguente conclusione: il ruolo della musica, nei riti di transe, è più quello di regolare che di indurre la transe. Tra i molti esempi, quello della pizzica salentina: il suo ruolo, nel rito terapeutico dei tarantolati, era quello di elaborare la crisi. Senza la musica della pizzica, questa crisi privata di rituale, diventava una crisi d'isteria". Questa roba è buona, dai.

Te l'ho detto: ci credo che è buona. È Lapassade.

Eh?

Tutta la mia tesi. È un plagio di Georges Lapassade. Ho ricopiato pari pari il suo saggio sulla transe e nessuno se n'è accorto.

Ma dai.

L'unica cosa mia è l'esergo – cioè, la scelta dell'esergo – e ho detto tutto. Da Turner, *Il processo rituale*. Passa qua... Ecco: "È come se vi fossero due 'modelli' principali per i rapporti fra gli esseri umani, modelli che si affiancano e alternano. Il primo è quello della società come sistema strutturato, differenziato e spesso gerarchico di posizioni politico-giuridico-economiche. Il secondo, che emerge in modo riconoscibile nel periodo liminale, è quello della società come comitatus, comunità o anche comunione non strutturata o rudimentalmente strutturata e relativamente indifferenziata di individui uguali che si sottomettono insieme all'autorità generale dei majores rituali."

Non male.

Vero? Se avessi veramente fatto la tesi, però, ne avevo pronto uno ancora migliore, un brano della Campo...

Silvina Ocampo?

Campo, non Ocampo.

Ah... Rossana Campo?

Cristina Campo. Non la conosci eh? Ovvio che no. Se fosse stata un uomo non solo la conosceresti, ma...

E su.

Vabbè, era un brano scritto molto tempo prima che il mondo conoscesse il suo primo free party, e che però era perfetto. Quello e un'altra frase, di Penny Rimbaud dei Crass. Hai presente?

Eh, c'ho pure la maglietta, dei Crass. E neanche me la posso mettere.

No?

È una maglia nera senza scritte né niente, solo il logo, hai presente quel mix tra Union Jack, svastica, croce e Oroboros... Una volta me la misi per una festa e vidi che la gente mi guardava male. Poi capii che pensavano fosse una celtica o qualcosa del genere. Insomma, queste frasi?

Fai vedere... Maremma non le trovo, mi sa che le ho nei vecchi file... Sai, le cancellai quando mi rassegnai all'idea del plagio.

Insomma, sei un fake.

Ci provai, a fare quella cazzo di tesi. Ma c'era poca documentazione in italiano e volevo laurearmi veloce, dopo i secoli passati in università. Non è che le cose non le sapessi. Per dire, sul teknival ci avevo pure scritto un articolo.

Sì?

Sul tek di Pinerolo. Sai quello del 2007? Fu lì che tutta la faccenda arrivò sui media mainstream, servizi in tv, pezzi sul "Corriere"... Mi faceva troppo incazzare come ne parlavano, così mi misi sotto e scrissi un pezzo io. A ripensarci ero ingenua, è normale che i media trattino male, quando va bene, le sottoculture non assimilabili.

Plagio pure quello?

Tutta roba mia. Non che fosse un granché, eh...

Come lo avevi strutturato?

Pretestuosamente. Avevo fissato dieci "discipline": storia, chimica, urbanistica, roba del genere, e poi raccontavo quello che avevo visto, secondo ognuna. Nell'urbanistica raccontavo come si formava la città del teknival via via che sound, bancarelle e tende prendevano posizione, nella chimica parlavo delle sostanze, e via così.

Storia come l'avevi messa?

Parecchio breve. Poi ci piazzai qualche link ad altri articoli.

Comodo.

Non era pigrizia. È che tracciare una storia delle feste, più che difficile, è inutile. A parte gli snodi iniziali, gli Spiral Tribe che montano a Castlemorton nel '92, il Criminal Justice and Public Order Act del '94, che spedì le tribe fuori dall'Inghilterra, e al limite la legge Mariani, che nel 2001 cercò di spedirle fuori dalla Francia, non è che si possano trovare altri momenti che da soli siano veramente cruciali. Forse il primo teknival, a Beauvois, nel '93, ma la storia delle feste si articola intorno a movimenti su un piano ampio e multidimensionale. È il rizoma di Deleuze fatto e finito. Più approfondisci, più finisci a scendere nel locale, nel particolare. Per dire, quando nel '97 a Roma occuparono la Fintech e tribe da mezza Europa ci vennero ad abitare, quello fu un momento importante, ma giusto per l'Italia. Stessa cosa il blitz al Czechtek del 2005: è la repressione più grossa che il movimento abbia subito, ma quanto ha inciso su quello che accadeva qui da noi, o in Francia? Difficile dire, ma poco: allo stesso modo dell'esplosione, anche la decrescita del rave non la puoi ascrivere a un set di eventi precisi. E musicalmente come le metti su, delle gerarchie? Se stai a fare la storia del rock, bene, puoi affermare che i Beatles sono senz'altro più importanti dei, mettiamo, Vanilla Fudge. Ma puoi dire che i Metek sono più importanti dei Megatron di Cecina, o di dove erano? Non con la stessa certezza, perché potrà sempre arrivare qualcuno a dirti che alla tal festa dei Megatron ha vissuto la più bella esperienza della sua vita e a quella invece dei Metek è stato male, e tu dovresti tenerne conto, non solo perché come si diceva una volta il pubblico è la festa quanto chi ci suona: anche musicalmente, il succo della free tekno è che è musica popolare, e come un'orchestrina a una festa di paese può far brutto se c'è del vino e la gente è presa bene, ugualmente anche una tribe o un dj senza particolari qualità può comunque dar vita a una festa clamorosa. E infatti i migliori producer mica coincidono per forza con le migliori tribe.

Reazioni all'articolo?

Quando uscì la versione online ci fu una quantità di commenti positivi, ringraziamenti, "finalmente qualcuno che la racconta giusta..."

Se il movimento è underground non dovrebbe fottersene di cosa dicono i media?

Vero. Però ad andare a giro con i camion per tre quarti dell'anno, la gente tipo una Viridiana, per dire, alla fine erano in pochi: il grosso dopo la festa se ne torna a casa, e quando torna a casa guarda la tv, ascolta la radio, legge i giornali, e s'incazza. Nessun complotto: è che ai media piace troppo polarizzare, dividere tra buoni e cattivi. L'idea che mille persone, cinquemila, trentamila, stiano vivendo collettivamente e senza conflitti un'esperienza bellissima, non gli va mica giù. Dico giornali, posso dire persone. Ne conosco di gente che ha difficoltà ad accettare che LSD e MDMA fanno meno male di vino e cicchini. O del pollo fritto. Ammetterlo equivarrebbe a dirsi Ehi ho rinunciato a vivere uno dei pochi fatti collettivi rilevanti della mia epoca perché credevo a quello che diceva la tv.

Vabbè Cleo, ci sono anche quelli a cui semplicemente di questa roba non gliene è mai importato nulla.

Tra vent'anni molti giureranno di esserci stati, alle feste, come quelli che in America dicono di essere stati a Woodstock. Oppure cercheranno di negare la storia, di dire che era tutto solo un sudiciumaio.

A volte era anche un sudiciumaio. No?

...

(Cleo, Vedano Olona, circa 2007)

Vado a pisciare, va bene ragazzi?
Basta che non finisci in un pozzo.
Che pozzo?
Dai, dicevo per dire.
Veramente ci sono dei pozzi?
In realtà sì. Ma tranquilla, sono pieni. Di vetri rotti.
Idiota...

Cleo ride. Lascia lì Emma e gli altri. Va a pisciare. L'effetto combinato di varie sostanze le impone una linea di pensiero multiforme e disarmonica. Una parte di lei, quella controllata dall'alcol, vorrebbe pisciare lì dove si trova, magari giusto un paio di passi più in là per non fare troppo schifo. Un'altra spinge per uscire finanche dall'intero edificio, sterminata ex vetreria, e andare a farla fuori. Una terza parte più ansiosa e normalmente ben castigata nel preconscio, ma nuovamente agguerrita vuoi per lo stato di sensibilità aumentata, vuoi per la distanza dal consueto territorio d'azione di Cleo, suggerisce la possibilità che solo all'interno di quelle mura si troverebbe davvero al sicuro (né sarebbe opportuno, suggerisce ancora quella parte, essere l'unica grulla a venir fermata dalla pattuglia sicuramente presente fuori dalle mura medesime, e doversela cavare con argomentazioni senz'altro farneticanti). Il resto di lei – i rimanenti, poniamo, sette decimi – sono così sopraffatti da un'espansione di coscienza che è a un tempo quantitativa e qualitativa (più cose sono percettibili allo stesso tempo; il livello di dettaglio di ogni aspetto sia pratico che teorico di ciascuna di quelle cose è maggiore; le sensazioni generate da tali aspetti sono più intense) e così perduti in un capriccioso effetto di feedback temporale da farle rischiare in ogni momento di dimenticare di aver bisogno di pisciare, cosa che innesca una undicesima, nascosta parte di lei che si coagula in paura di pisciarsi addosso, anzi in paura di essersi già pisciata addosso.

Nell'oscurità Cleo si controlla i calzoni. Sembrano asciutti. Difficile stabilire "asciutto". Con una buona approssimazione però, stabilisce, si può presumere che siano asciutti *almeno quanto sembrano*. Come convocata dal candore di tale pensiero ecco giungere una minuscola onda di lucidità. Appellandosi al nerbo che le è proprio – intorno al quale ha costruito l'idea stessa che ha di sé – Cleo la cavalca e la sfrutta per uscire dallo stanzone, superare l'altro stanzone in cui è stato messo su un sound più piccolo davanti al quale ballano una quindicina di persone, superare ancora un terzo stanzone senza sound ma abbastanza pieno di gente, imboccare un passaggio laterale, giungere in una stanza di medie dimensioni, dal soffitto più basso, in cui ancora si scorgono presenze addossate ai muri o stese su vecchi materassi, il bagliore dei tizzoni di sigaretta, il baluginio di un cellulare, e da lì attraverso quella che sembra solo una nicchia ma è un passaggio giungere in una piccola stanza che sembrerebbe proprio, dicono almeno cinque delle undici parti di lei che l'hanno portata fin lì, adatta per pisciare e del resto c'è puzzo di piscio, anzi no c'è proprio un puzzo di piscio mostruoso anzi no ha i piedi nel piscio anzi no la stanza è allagata di piscio e non si sentiva da quella precedente solo perché il tetto lì ha il lucernario sfondato e quindi il piscio puzza verso l'alto (si può puzzare verso l'alto?) e gli occhi ora abituati a un buio che lì è mitigato dalla radiazione debole di un pugno di stelle oltre lo spacco nel lucernario fanno in tempo a controllare che per fortuna le suole degli anfibi da skin l'hanno protetta, l'hanno salvata, non sarebbe stato lo stesso con le scarpe da skate che hanno quasi tutti gli altri lì, non sarebbe stato lo stesso con le scarpe da skate che ha lì davanti a sé, poiché ora nota che c'è un tipo giusto davanti a lei e il tipo ha le scarpe a fil di piscio (non si zuppano: adesso vede bene che il piscio ha una profondità che non va oltre il centimentro) e i pantaloni arrotolati anzi solo un pantalone arrotolato e la gamba il polpaccio pieno di sangue il tipo una statua semovente, lentissima in mezzo al piscio, ravana a caso nel polpaccio con una siringa e sta facendo un vero macello e Cleo fa un passo indietro, due, gli occhi sul sangue, torna nella stanza prima inciampa in qualcosa, inciampa in una ragazza, per poco non cade sulla tipa lì addormentata o ketata a terra, non vista prima, a pochi passi dalla porta del piscio e del sangue e pensa be' meno male sempre meglio che nel piscio e nel sangue e l'odore di piscio d'un tratto, forse per sbaglio ha inspirato ha sbloccato il riflesso con cui teneva le narici occluse senza toccarle, un meccanismo che domina fin da piccola, e stavolta invece ha inalato pieno quell'odore che in realtà nonostante il lucernario tracima anche in orizzontale e ora davvero le esplode moltiplicato e potenziato e dettagliato nella percezione come l'odore del piscio di dieci venti cento persone diverse, cento diverse linee di piscio a diversi gradi di maturazione e mescolanza e infezione e finisce di superare la ragazza su cui era inciampata e un altro tipo e un cane e raggiunge un angolo (controlla bene che non ci siano piscio o persone, fa in tempo in un attimo infinitesimale a controllare comunque per quelle che le paiono senz'altro, che sono senz'altro, molte volte, che non ci sia piscio e non ci siano persone) e piazza una vomitata.

Oh fai schifo, le bercia una voce dall'altro lato della stanza buia.

...

A volte sì; a volte era un sudiciumaio. Ma il fatto è che la funzione principale dei giornali è custodire il senso comune, confermare ciò che i lettori credono già. Quando nel 2010 spostarono la Love Parade a Duisburg – e parlo della *Love Parade*, una cosa già digerita da anni – e ci è morta schiacciata tutta quella gente, ed è stato pure accertato che fu colpa degli organizzatori che si erano preparati per un quarto delle presenze, e della polizia che non seppe gestire il casino, sui media si respirava un'aria quasi sollevata. Quasi un senso di "ah, ecco, allora tutta questa faccenda delle feste *era* pericolosa. Meno male". Le tv e i grandi giornali soprattutto. I piccoli possono essere ancora schegge impazzite, per carità non capita quasi mai, ma ricordo che proprio per Pinerolo un qualche anziano editorialista di giornale locale scrisse pressappoco "ai miei tempi il ballatoio di Nizza Cavalleria serviva ad addestrare i nostri ragazzi ad ammazzare quelli degli altri paesi. Ora vengono tutti qui per divertirsi insieme. Dove sarebbe il problema?"

Grande.

Era meglio il suo articolo del mio. Dritto al generale.

Comunque è vero che sulle feste c'è poco materiale, pochi articoli se non quelli di cronaca che poi sono veline di questura, pochi libri. Potevi andare avanti, scrivere ancora...

Ci avevo pensato. Alla fine la rivista mi diede centocinquanta euro, e poi a vedere tutti quei commenti nella versione online... Che fai di lavoro? Recensioni di feste.

Sai che scialo.

In realtà puoi fare sociologia, puoi fare storia della musica, del costume, puoi fare pure giornalismo, ma non puoi recensire le feste. L'esperienza è troppo diversa e superiore rispetto alla somma degli ingredienti. E il paradosso è che pur nell'annullamento dell'io, ogni esperienza individuale è diversa dalle altre. Poi se non esiste molta saggistica è anche perché a fare una ricerca seria ci vuole tempo e nel frattempo le cose cambiano. Nel libro di Sociologia I che avevo all'università, c'era un capitolo sui "tecnoidi", parlava della gente delle prime Love Parade, '90, '91, gente tutta capelli ossigenati, ciuccio e Vicks Sinex... Qualcosa di completamente diverso da oggi. Puoi isolare un arco temporale e una scena, una serie di punti esperienziali, ma cogliere il generale è complesso. Senti questa.

Cleo pesca dalla libreria un volume fucsia, cerca una pagina, legge:

"Confine e frontiera. Concetti assonanti ma profondamente diversi. Il primo limita, definisce, designa, identifica, sistematizza, controlla, mappa la geografia politica dell'agire umano. Il secondo invece apre, evapora, fluidifica, ibrida, espande, territorializza la geografia emotivo-esistenziale-fattuale dell'umano esperire. La frontiera è zona liminale, algebra emotiva, irrazionalità sospesa in cui il divenire si fa strumento aritmico di conoscenza e autogoverno: questo libro sprofonda nella cartografia impossibile di frontiere oltreconfine cercando di fermare, nel momentaneo flash di un'immagine stroboscopica, quel frame dissolvente tra due caselli di uno spazio-tempo tempestoso, distorto, sonoro, allucinato, empatico, nascosto e raggiante; ovvero la biografia settennale di un desiderio in rivolta espresso in vento techno-libertario, quello dei rave illegali o free party. In questi sette anni di passione il viaggio della mia vita è mutato radicalmente dissetando i miei desideri di sovversione dell'esistente, di espansione e autogestione dei paesaggi fisici/mentali/socioculturali, di risveglio dei piaceri ed erotizzazione dei dialoghi, di xenofilia e amore per l'alterità, di elaborazione dei linguaggi del conflitto. In questo spazio comunicativo si vuole sperimentare uno stravolgimento del linguaggio della rappresentazione, per rompere ogni ritmica antitetica del dentro e del fuori, per cercare di dare vita a immagini emotive che permettano l'immersione dei sensi nell'idea di libertà. In queste pagine si vuole dilaniare il potere del simbolo come incarnazione storica, attraverso la fulminea azione del segno: quella traccia segnica esplosiva, desimbolizzante e risignificante, che caratterizza le controculture contemporanee o culture postmoderne. Nuovi linguaggi del conflitto che desacralizzano l'archeologia dell'apparato sorretta dal monolite culturale dominante, e si scagliano contro il precetto del simbolo fatto edificio sociale. È qui in discussione l'idea di politica come retorica della stabilità che, basandosi ancora su ottocentesche categorie sociopolitiche ed economiche del bisogno, vive la sua crisi nell'impossibilità di limitare, definire, designare, identificare, sistematizzare, controllare, mappare la geografia dinamica del desiderio. È qui in discussione la sua meccanica scientifica definita governo del "demos" – con tutte le strategie di definizione di cittadinanza e retorica democratica dell'uguaglianza – per evidenziare le ritmiche normalizzanti della continua e stabile maggioranza che trae il suo potere dall'oppressione e dall'annullamento delle minoranze tramite una loro sintesi in società civile. È qui messa in crisi l'idea di potere governativo locale→statale→europeo→mondiale riveduta e corretta in ogni suo passaggio come oppressione del singolo e delle sue presunte minoranze, minoritarie e minorate, nella tutela e abilitazione delle loro irriducibili e molteplici e dissonanti alterità..."

Non riesco a capire se è un mucchio di boiate o ha senso. Pare uscito da una di quelle riviste che c'erano ai tempi, sai tipo "Decoder", anzi "Torazine"...

Sembra una parodia del poststrutturalismo, sì. Ma se lo rileggi e lo contestualizzi vedrai che senso ne ha. Anzi, è l'unico libro sensato sulle feste che sia uscito da noi. A parte questo ci sono i saggi tradotti dall'inglese dalla Shake, dove hanno messo "raver" nel titolo anche se parlano d'altro, ti pigli 'sti libri tipo *Traveller e raver. Racconti orali dei nomadi della nuova era*, e poi ci sono centocinquanta pagine sui new age traveller e sedici sui raver. Allora guardi il colophon e scopri che il titolo originale era solo *Travellers. Voices of the new age nomads*. Stessa cosa l'altro, *Atti insensati di bellezza. Le culture di resistenza hippy, punk, rave, ecoazione diretta e altre TAZ* – pure Hakim Bey ci hanno infilato: l'originale diceva solo "cultures of resistance". Poi non è che fossero da buttare, per dire leggendo questi due si capisce bene come la prima idea di cultura dei free party nascesse dall'ibridazione tra utopie hippy e "Do it Yourself" punk, con i Crass appunto, cerniera tra punk e traveller...

È un po' semplicistico dire che era solo hippy più punk. Certo, c'era anche il soundsystem, che è un'idea giamaicana, e c'era la mobilità su gomma dei new age traveller, che l'avevano presa dagli zingari. E c'era la disco, che ci piaccia o no. C'erano pure tribe come i Syndikate che venivano dalla scena hip hop. Ma il fatto è anche che quei libri si fermano al '97, al '98, nel vivo della cultura rave neanche ci entrano, a meno di fare come quei manichei che dicono che il rave è arrivato in Italia già svuotato di senso. No, questo libro almeno è sincero, e fa un po' di ricerca. Almeno nel senso di ricerca di chicche, come questa di... Aspetta te la leggo, Jules-François Dupuis altrimenti detto Raul Vaneigem: "come l'economia in crisi che non perisce diventa economia di crisi, la crisi della cultura che si sopravvive diventa cultura della crisi", o ancora Paul Nougé: "che l'uomo vada dove non è mai stato, provi quello che non ha mai provato, pensi quello che non ha mai pensato, sia quello che non è mai stato. Bisogna aiutarlo in questo, bisogna provocare questo trasporto e questa crisi. Creiamo degli oggetti sconvolgenti..." e però purtroppo, nonostante tutto, finisce per essere un libro sulla scena romana tra il '93 e il 2000. La scelta è tra fare campionature o cercare di essere analitici ma perdere il senso profondo. In Francia hanno tentato entrambe le strade. C'è *3672 la free story*, che non è poi diverso da questo che ti ho mostrato, solo che è sulla scena francese tra il '93 e il 2001, e c'è *Free party. Une histoire, des histoires*, che è una raccolta di testimonianze di praticamente tutte le tribe francesi esistite in vent'anni, ma patisce lo sguardo esterno, un po' etnografico e un po' entomologico. Né aiutano i materiali nati all'interno del movimento. Avevo ripescato quel "raver manifesto"...

Ah ricordo che girava una roba del genere. Era quello che faceva, tipo, Il nostro stato emotivo è l'estasi...?

Sì. Il nostro stato emotivo è l'estasi. Il nostro nutrimento è l'amore. La nostra dipendenza è la tecnologia. La nostra religione è la musica. La nostra moneta è la conoscenza... Praticamente propaganda. Infatti c'era pure la parodia: Il nostro stato emotivo è confuso. Il nostro nutrimento è l'ecstasy. La nostra dipendenza è la ketamina, la nostra religione è l'edonismo, la nostra moneta è l'euro... A 'sto punto meglio andare *direttamente* sulla parodia. Ricordi "Frangetta rave"?

Mmm...

Cleo smanetta al computer, pesca qualcosa su Soundcloud. Parte un battito, e sopra una voce campionata:

Vado alle feste...
Vado alle feste da un anno...
Da un anno porto il mio cane alle feste...
Vivo con i miei...
I miei mi mantengono...
I miei mi hanno dato i soldi per comprare il furgone...
I miei mi hanno comprato il furgone...
Vado alle feste in furgone...
Metto il mio cane in furgone...
Ho le Osiris D3...
Ho la maglia Karl Kani...
Ho i pantaloni Broke e sotto la gonna metto i fuseaux...
Ho la gonna zebrata...
Ho gli occhiali zebrati...
Ho la figa zebrata e il mio cane è zebrato...
Se i miei genitori sapessero che mi drogo mi comprerebbero le droghe...

Be' dai almeno fa ridere...

Nel 2008 a una festa la sentii mettere su. Non potranno dire che non eravamo autoironici. Ma descrive bene la degenerazione, l'arrivo dei ragazzini, dei poser, il declino della dimensione politica.

Però è stato il divieto a renderle un fatto politico.

Non del tutto. All'inizio c'era molta teoria. C'era anche molta diversità. Erano azioni, interventi. Solo massificandosi è diventata una subcultura. Il movimento rave differiva dalle subculture giovanili precedenti proprio nell'essere non mappabile, dinamico, frastagliato, a vari gradi di radicalità, senza confini tracciabili tra partecipazione e appartenenza. Poteva tirare in mezzo chiunque, alle feste vedevi la gente più diversa, e per questo era così potente quando girava, e cresceva, devastante nel suo essere gratis, nel suo essere fuori dai tempi del divertimento, tre quattro, sette giorni di baccanale – inaccettabile! eppure la città poteva solo schierare sbirri o ambulanze, secondo attitudini e momento, e stare a guardare. Ma era una punteggiatura invincibile solo finché restava molteplice e dinamica e continuava a occupare e liberare spazi e poi sparire e riapparire altrove, e infatti le esperienze stanziali, quando non si limitavano a fare da snodo, sono andate tutte più o meno storte. Basta pensare all'Area 51 a Segrate, alla Fintech a Roma...

Mi ricordo delle scritte sui muri, "Fintech rave di stato", ma Roma non è che la bazzicassi troppo.

Ci si erano installate diverse tribe, doveva essere un paradiso tekno, dopo un po' si trasformò in uno spaccio quotidiano. Poi successero pure le tragedie, e lì sì, in quel clima sempre sgranato, sempre eccitato, interconnesso e folle, che le informazioni si diffondevano e degeneravano in modo incontrollabile. Quando morì quella ragazza, poverina era andata a pisciare in una cabina elettrica, doveva essere tutto scollegato e invece ci restò fulminata, se ne sentirono di tutte, addirittura qualcuno diceva che pur di continuare la festa misero il corpo su un motorino, un casco in testa e via... T'immagini. Fu un lutto mostruoso invece, ma non c'era verso di controllare il gossip, la diceria, in quel clima schizzato, allucinato, ogni voce si ingigantiva, si moltiplicava, sfuggiva di mano...

Ora che mi ci fai pensare, non ci furono anche cose più pesanti?

Morì anche un bambino, il figlio di una coppia di traveller, che si era ammalato appena erano arrivati. Ma il peggio fu quando un inglese venne trovato sgozzato e incaprettato. Anche lì non c'era verso di capire, insomma che non fosse stato qualcuno del giro era ovvio, ma se ne sentivano di tutte, chi diceva la mafia, chi diceva addirittura che in realtà il tipo era dell'IRA e che era tutta un'operazione dei servizi inglesi, c'era pure chi diceva che sarebbe stato uno scambio di persona... Di certo là stanzializzare l'utopia portò immediatamente alla distopia. Già una fine di tutto, mentre molti ancora dovevano cominciare.

A volte un po' ci rosico, sai Cleo, a pensare a tutte le feste che mi son perso mentre buttavo i fine settimana nei peggio locali...

Non era facile capire, all'inizio. Noi stessi, che fummo un po' più attenti, ce ne accorgemmo solo quando a un free ci finimmo e vedemmo coi nostri occhi, cos'era, il '98, là all'Osmannoro? Per dire, io le avvisaglie le ebbi già cinque anni prima, e mica capii...

Eravamo in vacanza studio, le classiche due settimane di luglio "in famiglia", pomeriggio scuola, sera in giro a Londra, mattina dormire, anche se la nostra famiglia era italiana, la madre e il padre parlavano siciliano e il figlio un cockney incomprensibile, capivamo solo quando diceva "rubbish" di questo o quel giocatore:

Laudrup?

Rubbish.

Batistuta?

Rubbish.

Cosa, rubbish Batistuta? Cazzo dici?

Catso disci... What do you think little girl, I dunno what catso disci means? Batistuta is rubbish, he's too heavy.

He scored sixteen this season!

Sixteen my ass.

Eccetera. La sera si prendeva la metro e si andava in Leicester Square – è curioso come da ragazzina non ce la fai proprio a prendere le misure di una grande città, il primo spiazzo con tre locali lo adotti e diventa il tuo mondo – per infilarci in posti abietti come l'Equinox o l'Hippodrome, che erano in fin dei conti rassicuranti nel loro essere versioni enormi ma identiche dell'Happyland di Campi Bisenzio o del Concorde di Chiesina Uzzanese, e infatti come all'Happyland una buona serata era quella in cui si riusciva a pomiciare con qualcuno di non scandaloso sullo sfondo di Mr. Vain dei Culture Beat.

Con dei ragazzi?

Ancora le Spice non erano mica venute fuori... In ogni caso, in quei locali londinesi dove finiva la studentaglia di mezza Europa, se non pomiciavi voleva dire che eri finita in coma etilico già a inizio serata. Però ai bordi di quel lago di merda ecco dei punti di luce, che tuttavia restavano indecifrabili... Alla notte la metro era chiusa e dovevamo prendere il bus da Trafalgar Square: lì, mentre aspettavamo sotto ai leoni di pietra, mezze stranite dall'alcol, ci avvicina un personaggio in parrucca argentata e scarpe Buffalo e dice:

Hello, earthlings.

Hello, diciamo noi, e ci scambiamo un'occhiata come solo delle adolescenti di provincia stronze possono fare di fronte a qualcosa che sta fuori dalla loro concezione del mondo.

Wanna buy some aliens? (rovista in tasca). I'm going to the warehouse party in Uxbridge, you know (schiude la mano e ci sono quattro compresse bianche, dei cilindretti con la testa di un alieno stampigliata sopra).

Era chiaro che si trattava di quelle "pasticche di ecstasy" di cui parlavano i giornali (erano così piccine, dunque). Non dico che ci spaventammo, ma di certo neanche ci abbuttammo su quella mano. Non che fossimo timorate o roba del genere. A casa nostra avremmo ingoiato qualunque cosa promettesse uno svarione, se avessimo saputo come rimediarla. Voglio dire, ci facevamo di noce moscata, nelle case saccheggiavamo gli sportelli dei liquori e delle medicine, una volta ci eravamo addirittura mangiate dei sigari. No, no, il fatto è che eravamo troppo provinciali. Che quel tipo e le sue pastiglie erano *troppo strani per noi.*

Facemmo di no con la mano, l'alieno scrollò il capo e salì sul suo bus e così – era il *nostro* Alien! *Spring Breakers* vent'anni prima! E innocuo, probabilmente benevolo, certamente disarmato! – ci sfuggì quello che, avrei scoperto tantissimo tempo dopo, era l'ultimo anno dell'epoca d'oro del rave, UK '86-'93, prima che arrivasse il Criminal Justice and Public Order Act, incredibile caso di razzismo musicale nel suo proibire "eventi dove la musica include suoni pienamente o predominantemente caratterizzati dall'emissione di una successione di battiti ripetitivi"... che poi, la vuoi sapere una cosa bella?

Cosa?

È un'altra chicca che avevo trovato ai tempi della tesi. Di quella vera. Mi chiedevo se una cosa così strana, dico il proibire un certo tipo di musica, potesse avere dei precedenti. Questa mi sa che non l'ho cancellata.

Cleo si rimette al computer, ti fa cenno di aspettare. Continui a scorrere la libreria, apri quel *Free party. Une histoire, des histoires* alla ricerca di serate a cui sei stato, finché lei non trova il file.

Ecco. Senti qua:

– I pezzi di foxtrot (il cosiddetto swing*), non devono superare il 20% del repertorio delle orchestre di musica leggera e musica da ballo.*

– Le cosiddette composizioni jazz *non devono contenere più del 10% di ritmi sincopati; il resto deve essere composto da un naturale movimento legato, privo dei caratteristici ritmi isterici della musica delle razze barbare, che stimolano i bassi istinti.*

– Per quanto concerne il tempo, l'andamento non deve andare oltre un certo grado di allegro, commisurato al senso ariano di disciplina e moderazione.

Il senso... *Ariano*? O cos'è?

Regolamento per le orchestre del Reichsministerium für Wissenschaft, Erziehung und Volksbildung. Il ministero della cultura nazista.

Heh. Che poi anche chi aveva una formazione rigidamente comunista non vedeva mica di buon occhio tutto questo festeggiare...

A me lo dici? Da quando cercai di portare le feste nel movimento e il movimento nelle feste, mi presi tante di quelle infamate... Anche se come ti dicevo prima la chiamata arrivò pure tarduccio, ci vollero cinque anni. Quella volta che eravamo insieme all'Osmannoro suonavano i Desert Storm, addirittura, e noi lì a curiosare come se fosse stata giusto la stramberia del giorno.

Be' quando alla mattina ce ne andammo era chiaro che era almeno la stramberia dell'anno.

Cazzo, era impossibile, se avevi sete di cose fresche, di cose potenti, non abbracciare subito quel discorso nuovo, anzi il fatto è che noi, io almeno, ero a caccia disperata del discorso nuovo, eravamo cresciuti nei collettivi dei licei, avevamo fatto politica, volevamo far politica, volevamo farla in modo diverso, stavamo intrippati con Deleuze e Guattari, cioè io ci stavo: lo cercavo davvero, l'approccio rizomatico alla politica... Cazzo sto dicendo, mi dirai, e invece a un certo punto bam arrivano questi, una cosa mai vista, completamente avanzata, avevano tutto quello che cercavamo, anche se declinato in modo bizzarro e distorto: energia, autonomia, immaginario, radicalità, antagonismo, internazionalismo, capacità di coinvolgimento, antielitarismo (ma senza rinunciare alla complessità), identità (ma meticcia e permeabile), una musica che spaccava il culo e fomentava la gente, e poi un approccio nuovo rispetto agli spazi (che in Italia si ricollegava in modo perfetto a tutto il discorso aperto dagli spazi occupati e autogestiti), alla questione del loisir, sì insomma, il tempo libero, rispetto a quello che in buona sostanza eravamo, gente in un limbo potenzialmente lunghissimo che quindi definiva se stessa in base a cosa faceva in questo cazzo di tempo libero, e finalmente ne arrivava una declinazione che era anche azione politica e cultura condivisa e fuoriuscita dai vecchi parametri...

Cioè mi vuoi dire che quando hai visto per la prima volta le feste pensavi a Deleuze? Dai Cleo, per favore.

E va bene. Va bene. Il discorso politico sì. L'impegno sì. E la contestazione sì. Ma il fatto è che era la cosa più divertente che chiunque di noi avesse mai provato. Va bene? Serve altro? Tss...

Mmm, vediamo. La questione della tecnologia?

E va bene. Ma smettila di ridacchiare. Eravamo la prima generazione a trovarsi immersa nell'informatica, nella riproducibilità tecnica di qualunque cosa. Addirittura dell'esperienza mistica. Va bene così?

Non male.

Stavamo là. I movimenti fin lì tutto questo neanche lo sfioravano. Tra l'altro, mi ci fai pensare ora, l'informatica e la psichedelia hanno in comune il fatto di offrire nuovi spazi mentali a tutti, non solo agli eletti. Magari non lo avremmo ammesso ma in quel momento quegli sbroccati sui furgoni erano tutto quello che avremmo voluto essere. Ricordi la trasformazione? A fine anni '90 era tutta una massa di capelli lunghi e anfibi, passano un paio d'anni ed eccoci in un delirio di piercing, capelli colorati, scarpe da skate, non è che si vede spesso un'estetica prendere campo così velocemente – finalmente eravamo una cosa diversa dai nostri predecessori, padri, cugini, ancora infognati nei surrogati del leninismo, in una lettura fattasi passiva dell'operaismo, e adesso magari arriva qualcuno, potrebbe arrivare no? non so, un Gipo, una Sylvie, a dirmi che no, i passivi eravamo noi, loro hanno continuato a occupare, a pigliarsi denunce, a organizzare robe, ma per difendere cosa? Noi comunque abbracciando, ognuno a diverse declinazioni, anche personalizzandolo, proprio perché era permeabile, malleabile, collettivo ma sotto sotto individuale, questo qualcosa che spirava in Europa, eravamo novità. Di più: eravamo almeno un poco reali, mentre loro sì, ecco, loro erano già fantasmi.

Un Gipo potrebbe obiettare che le occupazioni rimanevano sul territorio e alcune ci rimangono tutt'ora; le feste, senza il contesto intorno, finito il momento storico, alla fine offrivano solo una fuga temporanea. Una vacanza dal sistema, più che una critica.

E avrebbe pure le sue ragioni. Ma rimango convinta che le due cose si potevano unire, anche se per lo più non è accaduto. Il problema è che le feste sono state troppo grosse e troppo veloci, quella rete di solidarietà, di affinità, che c'era all'inizio, non ha retto all'impatto di così tanta gente. La 72 ore, anzi la "72 ore di Resistenza", la inventammo noi, il primo anno erano tre tendoni con un po' di musica, pure il rock, figurati, il secondo anno facemmo il salto di qualità e già si poteva parlare di un rave, il terzo anno ci inventammo tutta una storia, un personaggio, un candidato immaginario a sindaco, ma già era sfuggita di mano, potevi metterla in qualunque modo, inventarti qualunque cosa, ma arrivavano solo raver su raver, per un verso era commovente, come in *Nuvole in viaggio* facciamo una cosa e arrivano, arrivavano a fiumi; dall'altro faceva incazzare come quelli sentissero solo il battito della techno, le scarpe sempre più grosse, i marsupi sempre più pieni di droghe, e arrivavano anche se il giorno clou pioveva, ricordi che mucchi di ragazzotti straniti con le scarpe rese enormi dal fango secco alla domenica pomeriggio, in stazione, e l'anno dopo anche se non facemmo nulla, anche se non muovemmo un dito, niente organizzazione né lancio, i soundsystem vennero lo stesso, giusto perché qualcuno da Firenze gli aveva detto oh venite e aveva messo i messaggi in giro per i siti, e l'anno dopo erano ancora di più, ecco i bolognesi, ecco i francesi, ecco gli austriaci, tutti i nostri discorsi politici sulla città erano svaniti ma lì ogni anno continuavano ad accumularsi soundsystem, veniva fuori una tre giorni sempre più mostruosa, un festone da diciotto, venti sound e quindicimila persone, praticamente un teknival, io di fronte a questo successo che non era più nostro scrissi nella nostra mailing list una roba tipo "72 ore, come sprecare un brand" e qualcuno mi rispose cazzo dici Cleo, la vittoria è proprio che adesso la festa viene su da sola. Mi risentii pure, ma oggi è ovvio, aveva ragione lui – Come andò a finire, mi chiedi? Crebbe ancora, poi nel 2008 a una festa nel Norditalia morì uno, il classico ragazzino che pippa troppa ketamina e ci beve sopra una mezza boccia di liquore e finisce in un canaletto, e allora quei pochissimi che ancora, comunque, ci mettevano la faccia con la questura, dissero meglio non farla quest'anno e ovviamente se offri uno spiraglio, se cedi anche di poco, poi l'anno dopo non è che puoi aspettarti di fare le cose tranquille, nel 2009 nicchiarono e poi alzarono gli scudi, quelli che ormai erano venuti con carovana e tutto misero su un'edizione mezza disastrata in Chianti, e ancora comunque ricordo treni regionali pieni zeppi di gente che veniva da Torino, da Perugia, dal Salento, e pensava di arrivare a Figline Valdarno e raggiungere Greve in Chianti a piedi, e alcuni stai certo che lo fecero, nel 2009 era già tutto andato a puttane – pensa che l'anno dopo, nella speranza di ribeccare lo spirito originario, me ne andai per un po' in Germania, solo per ritrovarmi in una casa a Kreuzberg con due fattoni italiani che andavano sempre e solo per locali, ma del resto i free party ormai scarseggiavano pure là – e nonostante ciò, nonostante quel senso di smobilitazione, ancora c'era una simile forza, una simile capacità di mobilitare al buio masse di persone per centinaia e centinaia di chilometri... Ero su quel regionale e c'era una zaffa d'oppio orrenda, i controllori avevano rinunciato e un tipo accanto a me con la canotta di LeBron James teneva a bada il dogo e raccontava a una ragazza con le codine viola cosa era successo a Basilea nel '43, era un quadretto, un'ultima rappresentazione coordinata prima della fine, e infatti alla fine scendemmo a Figline, ma non per beccare i nostri amici e raggiungere – noi sì, potevamo, e in venti minuti neanche – Greve, ma per prendere un treno all'indietro per Firenze e andarcene a letto, certo con un dubbio addosso, perché così come prima di una festa, per quanto tu sia esperto, per quanto tu le abbia viste tutte, hai sempre un po' d'ansia, un senso di chiamata, allo stesso modo quando ne programmi una e poi non la fai, ti senti un po' in colpa, per quanto alla fine riuscimmo a chiudere il discorso, a metterci, non so, a scopare, a guardare un film senza pensare troppo a cosa stava accadendo là – nulla di che, ovvio, ma sai meglio di me che è un tipo di "nulla di che" che se poi vai lì e lo vivi può venir fuori sempre e comunque come il più puro e il migliore di sempre, e da lì davvero, a parte qualche festival psytrance, a feste non sono andata più.

Psytrance cioè *goa?* Insisti?

Moriremo goani, te lo dico io.

Questa dove l'hai sentita?

...

(Cleo, Berlino, circa 2010)

Ripassame 'r piatto...
Ancora?
Fammela fa' mo, tra cinque minuti chi se move... (snort) Ma 'nsomma 'sta ketch che storia è?
Eh, gira...
Ma è indiana?
Così dicono.
Cle', tu nun la voi fa 'na mezza raglia?
No no, finitela pure voi due...
E vabbe' (snort). Che se fa poi, se va?
Al Kinesis?
Eh.
Mah. Al limite pensavo più di fare un salto al Lotus.
Ar Lotus a Neukölln? Ma nun ce sta la goa?
Precisamente.
Ma ar Kinesis ce stanno i Mazekiller, Massimino degli Anthropoid...
Passa qua il piatto, piuttosto... (snort)... Vedi, nutro... Sempre maggiori perplessità circa l'opportunità di andare a serate tekno nei locali.
Ma ce sta pure quello là che stava nei Pyrotek, coso, er marsijese... Wow... Ammazza, forte però sta ketamina...
Ti sei... D'altronde... Fatto tre righe... Una dietro l'altra.
Aha anche te... Stai a rallenta', eh!
Inevitabilmente.
Dicevo... Ce sta... Ce sta... quello là dei Pyrotek...
Ci potrebbero essere anche... Gli Spiral Tribe... Il punto è...
Seh! Se ce fossero... Gli Spiral... Saremmo già là co'... Co' i gajardetti e i tricchettracche...
Heh... Forse sì. Ma quello... Quello a cui volevo arrivare, è... Um...
Passa 'r piatto... Occhio... Nullo fa'... Nullo fa' cascà, eh... Ummm...

Ecco. Quello... Quello a cui volevo arrivare è che la tekno, spogliata di uno dei suoi elementi... Costitutivi... Ovvero... Ovvero l'occupazione di un luogo smesso, meglio se industriale o addirittura militare...

Come 'r ballatojo de... Ndo stava 'r teknival, l'ultimo bbello... Pinerolo?

Come il ballatoio a Pinerolo, esatto. Dico, che la tekno... Spogliata del suo pilastro politico, mi dice molto meno. Mi fa l'effetto di una bestia in gabbia. Non dò la colpa a nessuno, c'è stata tanta repressione, c'è stato un cambio di generazione. E però...

Aoh, è partito! E meno male... Che stavi rallentato...

Cazzo, voglio finire il discorso prima di scollegarmi... Il discorso per la goa, cioè la psytrance, è diverso, mi capisci, se noi abbiamo avuto sempre una linea più... Contestativa, quella delle feste, dei festival, psytrance è sempre stata più generativa. Vedi tutti i suoi annessi e connessi. A prescindere da cosa se ne pensi... Sai, il chai, la meditazione, il veganesimo... Un complesso di cose che si traducono in un diverso tipo di alterità rispetto a un sistema comunque contestato... Un'alterità che non risulta del tutto stonata laddove si riorganizzi... In festival a pagamento o serate in locali.

Seh, vabbe'... Vegano so' pur io... Me stai a di'... Che moriremo goani?

Qualcosa del genere.

Doloroso.

Ma inevitabile.

...

Dove l'ho sentita, l'ho sentita. È quello che penso.

Ma dai.

Giuro. Ultima volta che sono stata a un tek? Neanche lo ricordo. Quattro anni fa, forse cinque. Troppi sbattimenti, troppi rischi – anche senza pensare a una denuncia per occupazione di terreno, t'immagini arrivare lì, e l'hanno spostato di trecento chilometri perché gli sbirri non li hanno fatti montare?

Fa parte del gioco...

Allora non ho più l'età per giocare. Per me andare alle feste è ancora importante, tra le cose che mi sono rimaste è quella che si avvicina più a una religione. Non posso mica far decidere lo svolgersi o non svolgersi della funzione a un'autorità esterna...

Be' i paleocristiani...

Dai, basta cazzate, ci siamo capiti. Il festival psytrance è più a misura. Se c'è, c'è. Niente azione diretta, solo gente che affitta un terreno e ci mette il suo bravo impianto Funktion One. Vado lì, prendo i miei psichedelici, ballo la mia musica estrema – perché poi, diciamocelo, ormai rispetto a gente come un Ajja, un Antagon, chiunque della Parvati records...

Un chi? Secondo te ho mai sentito dire questa gente? Non conosco neanche il tuo Goa come si chiama...

Goa Gil? Mi era venuto così, in realtà a mettere i dischi è abbastanza un caprone.

Perché allora non la finisci con quella capoccia rasata e ti fai le treccine?

Sono seria. Nomi o non nomi, rispetto a quello che suonano loro, rispetto alla darkpsy, la brava vecchia tribe tekno è leggera.

L'importante è che stai bene, immagino.

Quel tono cacciatelo in culo. Non è che non mi analizzi. Cazzo, non faccio altro. Lo so benissimo che ho scelto di ritirarmi, di fare solo il mio, di prendermi una fidanzata tranquilla e concedermi a volte, ma da edonista puro, il piacere del candyflip. E c'è anche un altro "ma".

Il fatto che ai festival si paga?

No, anche se pure quella è una questione affascinante. Dico, il modo in cui il denaro costituisce un codice non solo di interscambio ma anche di legittimazione: il festival a pagamento, anche se identico nei contenuti a un free party, non viene represso – il fatto di avere un biglietto lo rende ontologicamente diverso. Ma il costo in questo caso non c'entra. È che, anche se ci vado, qualcosa lì continua a non tornarmi fino in fondo. Se la free tekno è punk più hippy più qualcos'altro, la psytrance... Be', temo che per quanti bpm metta, sia comunque solo figlia dei figli dei fiori.

Nipote dei fiori. Qual è il problema? Io, se non vado ai goa, è solo perché non mi sono mai abituato alla musica.

È quello il problema. Ci credono troppo. L'assenza di quel minimo di nichilismo, di autoironia, ti fa fare qualche scivolone. Prendi quello che mi è capitato all'Ozora... Per quanto una preferisca gli psichedelici, alle feste tekno si vira più sugli stimolanti o sui dissociativi, e all'LSD si delega in genere il far da sfondo. Ai festival psytrance invece ti muovi in un altro modo, e infatti l'intera messinscena, le decorazioni, i tappeti su cui stendersi, le luci, i posticini nascosti in cui puoi stare, è studiata per potenziare, tutelare e prolungare l'esperienza psichedelica. Capiterà allora, dopo aver fatto il pieno di "micropunte californiane da 225 microgrammi"[1], dopo aver contestato al tipo la sparata, spiegandogli che oggi l'acido medio è 60, 80 microgrammi, dopo esserci beccate in risposta

[1] Che poi, fino a un paio d'anni fa nessuno parlava di microgrammi.

Dici, Cleo?

Cazzo, lo dico sì, nessuno *sapeva* quanto stracazzo dovesse pesare una dose media di LSD. Eravamo ancora nel medioevo dell'uso, si parlava di "goccia" e "doppia goccia", come se il numero di gocce poste in un cartoncino, e non la concentrazione di principio attivo, fosse rilevante. Poi, d'un tratto, tutti a parlare di microgrammi. È Internet, ovvio. La gente nei forum tipo bluelight.ru pontifica di µg e nel giro di un paio d'anni ecco che anche il peggio punkabbestia che si è rifornito chissà dove è pronto a garantire che i suoi sono "da duecento microgrammi".

il solito "provale e vedi", dopo aver constatato – diavolo di un goano – che forse, anzi probabilmente, anzi certamente erano 225µg, di ritrovarsi a vagare completamente perdute nel tratto di campeggio fattosi immenso che divide il main stage dal primo chai shop e incontrare nuovamente una tenda su cui ci era caduto l'occhio all'arrivo, tenda più grande del normale, cromata, un ingresso con un cartello con su scritto "what you will see inside here can substantially change your world view, so enter at your own risk" e intorno alla scritta disegnini frattalosi, e allora, aspettandoci qualcosa di non dissimile da quel tendone visto un anno prima al Boom dove c'erano giochi di luce e proiezioni in una sala di specchi, commettiamo l'errore di entrare.

Avremmo dovuto essere più accorte, capire che il ragazzo con tuba e occhialetti steampunk all'ingresso non poteva promettere nulla di buono. Avremmo dovuto essere meno curiose. Certo non potevamo immaginare che quel cartello, in un modo del tutto diverso da quello inteso da chi lo aveva creato, potesse dire la verità. Entriamo.

La tenda è più grande del normale. *Molto* più grande del normale: in effetti sono due tende una dietro l'altra, solo che da fuori non si vede. Il tipo con la tuba, profittando del fatto che siamo entrate piano, stando tutte attente a non inciampare, ci si è piazzato davanti. Per terra, a destra e sinistra, oggettucoli di cartapesta dipinti con vernici fluorescenti; un cervello, un monitor sfondato, delle specie di molle, dei fiori. Dietro al tipo con la tuba, nell'altra tenda, un altro tipo, in tunica bianca. L'effetto non è neanche troppo orribile, dai. L'idea che nella tenda interna, nel sancta sanctorum se vogliamo, vi sia qualcuno, e con essa la suggestione che costui abiti lì, che sia insomma un gerofante se non una specie di reliquia vivente, di Pizia o di Kumari, è in fin dei conti affascinante, sebbene sia controbilanciata dalla goffagine di tutto l'allestimento e dall'eccessiva confidenza che ci impongono costoro – bene la suggestione, ma stare in un metro quadro e mezzo di tela con due sconosciuti non è necessariamente favoloso.

Well thank you guys, that was an interesting experience indeed.

No.

(Come, "no"?)

No?

Non è finita, e il tipo con la tuba fa un gesto da maestro di cerimonie, invitandoci a entrare nella sala del sacerdote, dove si accende una lucetta cangiante. Ora, le lucette cangianti sono pur sempre attraenti quando sei in acido e poi insomma, ci siamo volute entrare noi lì, andar via prima di aver visto tutto starebbe male... Va a finire che avanziamo. Il sacerdote ci guarda. Sentiamo la presenza del tipo con la tuba dietro di noi. La lucetta è emanata dalla sommità di una sagoma in lamiera dipinta che riproduce la silhouette di un essere umano. Lungo l'asse verticale si possono vedere i sette chakra, mentre la luce è in effetti il volto della sagoma. Il sacerdote ci indica delle cuffie appese a un sostegno.

Vorremmo dirgli no, dai, non abbiamo voglia di sentire la vostra musichetta, basta già a devastarci il cattivo gusto di tutto questo, ma come farlo? Quelli sono *felici* che noi siamo lì a fare da cavia alla loro orribile installazione. Il modo in cui ci guardano! Ovvio, siamo tizie in canotta da basket e occhiali a specchio completamente in bomba, ritengono certamente di essere nell'atto di impressionare positivamente delle povere spostate (con tutto che anche il peggiore degli spostati lì dentro sarebbe rimasto inorridito), di rimetter loro in sesto l'esistenza, forse, e allora giù, mettiamoci anche le cuffie, che un po' di musica non ha mai fatto male a nessuno.

Troppo ottimiste. C'è una voce, nelle cuffie. Una voce con un accento lasso, non proprio un pidgin english, più un inglese slavizzato, ed è in effetti un accento simile a quello del tipo con la tuba, ma più marcato, e la voce è diversa. Ci guarda, capiamo. È il sacerdote a parlare. La lucetta cambia, realizziamo che c'è un proiettore lì dietro al vetro, comprendiamo che quella che vedevamo prima era la luce emessa dal filmato di un cielo solcato da nuvole, in time-lapse, sai quell'effetto stucchevole che si ottiene facendo una ripresa di ore e poi accelerando il video, cielo che ora diventa un panorama montano, e poi un deserto al tramonto, e ancora un atollo e intanto la voce del sacerdote continua, attacca un pippone spaventevole sulla "vibrazione", e l'AUM che crea il mondo, e il logos e la materia, e siamo tutti uno, e l'amore universale e noi vorremmo avere un serramanico e come nelle storie di Paperino tagliare un'apertura sul lato della tenda e fuggire ma invece siamo lì, proviamo a voltarci imploranti verso il tipo con la tuba ma quello ci guarda benevolo, come a dire Molte cose apprendendo state, giovani padawan, e la voce continua, dietro di essa si alza il suono di un forte vento (nella diapositiva ecco ora le distese artiche, dei fiordi, un fiore che sboccia e poi ancora un cielo su cui scorrono velocissime le nuvole), ci parla di dio addirittura, somebody calls him God and somebody Allah e qualcun altro Melek Taus e c'è pure chi lo chiama AUM e la vibrazione e la meditazione e l'anima mundi e il cristo in croce vorremmo aggredirli fisicamente ma ci tocca confrontarci col fatto che *non sarebbe giusto* aggredire chi comunque, imbranato quanto vuoi, sta cercando di mandare un messaggio positivo, anzi forse ci rimarrebbero male anche solo se andassimo via prima della fine del sermone e allora l'unica è usare le loro stesse armi, fare il vuoto nella mente, controllare la respirazione, chiudere gli occhi, dimenticare il gerofante e il tipo con la tuba e la silhouette storta con su i chakra, i cervelli di cartapesta il proiettore il suono del vento e forse, ancora un po', dai, prima o poi...

(prima, o poi)

...prima o poi, finisce.

Come ci guardano. Che gli possiamo dire, a due che ci guardano così? Sono *certi* di averci donato qualcosa di importante. In effetti ci hanno regalato il tempo speso per realizzare quel posto, il tempo di stare lì a recitare per noi. Ancora tremanti ci voltiamo, preghiamo che non ci sia altro, ringraziamo, davvero adesso, gli dei, che il tipo con la tuba ci lasci tornare nella prima tenda e da lì fuori. Fuori!

Se volete potete scriverci due parole su quello che avete provato, su cosa avete sentito, fa un terzo che aspettava fuori, faccia da bravo ragazzo, cappello da gnomo. Ci mostra un diario aperto come quelli alla fine delle mostre. Con la mente accelerata vagliamo in un attimo una serie di possibilità.

"Avremmo voluto fuggire."

"Avremmo voluto morire."

"...Usarvi violenza."

"Se questa è la nuova religione allora, sai cosa, noi si torna dal prete."

"Ci batteremo per far sì che mai più altre persone di buon gusto, decente sviluppo intellettuale e stato di sensibilità aumentata siano sottoposte a una simile crudeltà."

"Cazzo, qua intorno è in atto qualcosa di grande, tramite la musica suonata da alcuni dei più capaci in questo genere si attua efficacemente l'annullamento dell'ego in una collettività sacralizzata – siamo, per dirla in modo semplice semplice, in un contesto di eccellenza artistica – e voi ci fate questo... questo... *catechismo*?!"

Finisce che gli scriviamo "thank you" su quel registro, porelli, e ce ne andiamo barcollando, ancora un po' incrinate, sperando che una birra e un paio d'ore di ballo possano bastare a rimetterci in sesto, a dimenticare.

Il problema quindi sono le brutte installazioni?

Il problema, caro mio, ed è stato anche quello della free tekno, è quando la controcultura si autoemargina a subcultura. Quando smette di incidere sul fuori e parla solo al dentro. Mi viene in mente un'altra frase di Penny Rimbaud: Non voglio coltivare pomodori biologici, voglio tirarli ai bastardi. E siccome io ho smesso di tirarli, tu è meglio se vai da qualcun'altra.

VIRIDIANA - LO SPIRITO

Trovare Viridiana è un po' più complesso. Devi metterti in viaggio, addirittura. Persi tutti i contatti, alla fine la scovi su un forum free tekno ceco, ci scambi due messaggi, ti spiega dove sta adesso, e sta lontana, in un posto laggiù che si chiama Pes Zabiják, e se ci vai davvero è solo perché ormai vedi una spirale che si espande esponenziale, Iacopo lì accanto a te su quel divano scassato, Cleo a qualche chilometro, Viridiana a mille e più, il prossimo, la prossima, a qualche milione, perduta nel vuoto cosmico... Ma intanto devi arrivare a Viridiana, e davvero sembra maledettamente lontana, e la forza per andare fin là, rischiando un giro a vuoto, la trovi solo inserendo una festa nel viaggio, decidendo di provare questo *Space Picnic*, il primo teknival non autorizzato dai tempi dell'ultimo Czechtek, nel 2006. Andrai allo *Space Picnic*, sperando di non finire come Iacopo e il suo amico a Candasnos – ma prima a Pes Zabiják, da Viridiana.

E la trovi, a Pes Zabiják, che è poi un villaggio abbandonato, Vytky si legge sul cartello arrugginito e mezzo coperto di graffiti, un posto di minatori lasciato lì e che i teknusi si son ripresi, e camper e bus e carcasse di auto ferme da chissà quanto definiscono lo spazio assieme alle casette, e c'è della musica nell'aria anche se non è techno, è *Tomorrow never knows* dei Beatles, e quando, dopo che hai chiesto a un ragazzino se conosce Viridiana, sai Viridiana? italiana? mora?, e quello ha detto Zavolám ti ji ed è partito verso un edificio lungo e basso, e si è infilato dentro, e sei andato in là con calma, te la sei vista uscire come una madonna, senza più dreadlock e con un bambino biondo in braccio, e tutto ti è sembrato trovare una sintesi tanto matematica da sembrare quasi troppo, anche se poi lei ti ha detto:

Che è quella faccia? Per il bimbo? Mica è mio, lo tengo a una.

E tu hai sorriso (di sollievo? sollievo *da cosa*?) e lei ha continuato, non la vuoi bere una roba, dai vieni dentro, e insomma pensa un po' te lo sei fatto davvero 'sto viaggio, pensavo che dicessi tanto per dire, sai quanta gente dall'Italia dice un giorno vengo e poi non viene mai... Che stai a fare, insomma,

(e dentro vi siete messi, ti sei assettato, avete fatto un caffè)

insomma che vuoi.

Son venuto allo *Space Picnic*. C'è, no?

Gli altri sono stati a montare ieri. Comunque boh.

Che?

Con tutta la gente che c'è, sei venuto a cercare me.

È che voglio sentire gente in grado di fare un discorso strutturato.

Non sono in grado di fare della mia vita un discorso strutturato.

Eh dai, però le cose le sai, le sai leggere.

Quindi che vuoi? Che ti spieghi le feste? Le sai già, le feste.

Tu hai più storie.

T'immagini. Se vuoi ti racconto quando Renault scivolò in un pozzo nero.

Tu hai verve.

Seh, quando sono sotto speed.

Ma sì invece. C'hai una cultura, sei sveglia...

Bah, sai quanta ce n'è di gente che va alle feste e c'ha una cultura. Non hai sentito nessun altro?

Ho sentito Cleo...

Mancini?

Che è quella faccia?

Bah. Cazzo vuoi da me insomma?

Eh, farmi raccontare. Non so, il tema del viaggio...

Il tema del viaggio? Ma vaffanculo... Cosa vuoi, una roba tipo Non sai cosa vuol dire viaggiare se...

Se..?

Se non ti ha mai preso fuoco il furgone?

Puoi fare di meglio.

Se non sei mai stato a fare la vendemmia in Champagne aspettando di spostarti a Melun per il teknival del '98 e ritrovandoti poi col furgone piantato nel fango? Se non hai mai sbagliato strada per il teknival romeno e ti sei ritrovata in mezzo a territori del tutto controllati da clan zingari e già che c'eri hai messo musica per loro?

Oppure?

Se non hai mai aiutato i Mutoid Waste a trasportare il Mig che si trascinavano in giro? Se non sei mai stato a cercare di esportare la tua musica fuori d'Europa e ti sei scontrato con la povertà vera, con le gang vere? Se non sei mai stato in una zona di guerra?

Vedi che di cose ne hai viste.

Bah. Chi hai sentito oltre alla Mancini?

Iacopo.

Il Gorino?

Eh. Mi ha detto che una volta siete andati insieme in Portogallo.

Non so mica cosa mi prese. Però è carino Iacopo, sai che una volta ha scritto una cosa su di me? Cioè, proprio con me come personaggio. Vuoi che te la legga?

Sfreccia di là senza neanche lasciarmi rispondere, la senti rovistare, torna con una specie di diario di quelli con l'elastico intorno, lo scorre tra mille foglietti mezzi stracciati che spuntano tra le pagine,

Ma dove'è, stava qua...

Cascano flyer e foglietti, ne pesca finalmente uno giallo, una pagina di quei quaderni di carta spessa, di pregio o riciclata o le due cose, piegata in quattro, si vedono delle scritte a lapis, fitte; lo apre, legge:

... Viridiana intanto si era piazzata a sedere in alto, sopra l'impalcatura dei proiettori, dodici tubi innocenti montati a cubo, a sinistra del sound; non aveva diciott'anni e la free tekno, la musica che loro e altri come loro portavano in giro per l'Europa con furgoni e soundsystem e generatori fregati nei cantieri, le parve essere come la pioggia e il pane e il sale, una cosa indifferente ai riti nazionali, alle tradizioni locali, alla lingua e alla storia; pur essendo inequivocabilmente musica folk, quel suono che lì davanti a lei faceva ondeggiare tre o quattrocento persone, ucraini, russi, ceki – e scorse Renault ballare in fondo, e Jody che ondeggiava appena, a metà strada, e Isabella sotto di sé, aggrappata alle casse, con quei polsi tutti pieni di braccialetti – le apparve come una vibrazione senza frontiere, una spia dell'aria e dell'acqua, una forma archetipica, anteriore, sottostante, che riconciliava ucraini, russi e ceki, italiani e francesi e austriaci, li reincorporava a un dimenticato fuoco centrale, e precariamente, dolorosamente, li restituiva a un'origine tradita.

È tipo un pastiche, un montaggio, no, di pezzi di altre cose... Però parla di quando andai coi Rolling Thunder a metter su una festa vicino Odessa, gli raccontai questa cosa e lui la scrisse, sai che voleva scrivere un romanzo sulle feste?

Da lì ho cominciato.

Voleva cominciare proprio da Odessa per raccontare tutta l'Europa, anche se poi non è mica in Europa...

Certo che lo è.

Vabbe', fatto sta che quando avevo diciott'anni figurati se pensavo quelle cose. Il fuoco centrale... Mi sbomballavo e stavo lì ed era uno scialo ed era bello anche perché era qualcosa che nessuno di quelli a cui la portavamo aveva mai visto prima. La cosa grossa era davvero viaggiare, andare lontani, vedi la gente quanto si organizza, quando fa un viaggio, quanto ne parla, e noi invece prendevamo e partivamo... Oggi gli itinerari sono fissati, ci sono le città, e i voli che collegano le città. Così come collegano i luoghi turistici, e quei luoghi selvaggi che sono anche turistici. Ma in mezzo a tutto questo c'è altro, una topografia umana ignota. Pensa al teknival in Valdarno, ricordi?

Me lo ha fatto ricordare Iacopo.

Sì? Pensaci: francesi, inglesi, gente di Bari, di Trieste, di Ostrava, sparsa tra Chiassaia, Monte Lori e Castiglion Fibocchi. Pensa a me un anno dopo. Mi ero imbarcata con i Kromatoid. Quei suonati erano partiti per la Bielorussia da Sassomarconi solo perché della gente di Minsk, anzi di Fanipal, aveva promesso di ospitarli e vendergli un altro furgone a duemila euro: da lì, coi due furgoni, l'idea era di passare da una festa in zona e poi di nuovo giù, per i teknival di Romania e Bulgaria. Al di là dei teknival, al di là di questi viaggi programmati in cinque minuti, dotati solo di una carta stradale che era pure vecchia di dieci anni, chi ci sarebbe mai finito, a Fanipal? A Odessa? Qui a Pes Zabiják? O anche in Francia. Lo sai dove fu il primo teknival, nel '93? A Beauvais. Proprio il posto in cui tutti arrivano con la Ryanair quando vanno a Parigi. Una città che oggi per il mondo esiste solo come aeroporto, un posto in cui arrivano tutti e nessuno va, perché appena atterrano prendono il bus per la capitale. E i camion delle tribe invece andarono proprio a Beauvais. Ma non è solo quello. Ti potrei raccontare di quando mi svegliai su un paglericcio, senza riconoscere dove fossi, di giorni scollati dalla realtà lì in quelle case popolari di Fanipal, e già basterebbe. Non c'è nulla di straordinario, va bene, eppure non sono cose che puoi vedere, fare, viaggiando normalmente. Oppure quando giravamo le campagne intorno a Minsk alla ricerca di un posto buono per montare, sai, una bella conca con strade d'accesso e d'uscita alternative, avevamo conosciuto gente e c'era l'occasione di fare un'altra festa, e mentre gli altri battevano quella piana col Roadrunner avevo preso il furgone nuovo, da sola, per andare a vedere un altro paio di posti, ma mi ero persa, e non c'era un'anima che parlasse inglese, e avevo guidato a occhio, sbagliando tutto, fino a trovarmi in un'altra pianura, e lì in mezzo al niente c'era un obelisco piccolo, sai una di quelle cose da piazza di piccola città, di quelli, che ne so, per Mazzini o Cavour, e scendo per vedere meglio, e poco più in là ecco una tomba, una roba più grande del normale ma in fin dei conti modesta, una tomba da personaggio storico locale, col recinto basso, di ferro battuto dipinto di bianco, pioppi intorno, un cartello, lo trascrissi anche, guarda...

Малы́ Трасцянéц.

lo trascrissi per andare a ricontrollare cosa fosse. E cos'era, era Maly Trostenets: niente bocca dell'inferno come ad Auschwitz, era rimasta solo una piana; Maly Trostenets, duecentomila morti ammazzati e io lì ferma, mezzo stravolta, fuori dal furgone, battuta dal vento umido dell'Europa dell'Est. Sai cosa pensai quella volta? Che magari smettevo di stare in giro. Che aver raggiunto quel punto là, senza neanche cercarlo, aveva, non so, un valore simbolico.

Poi?

Poi mi venne in mente un'illustrazione che vidi da piccola su un libro di scuola, era una cartina d'Europa con i campi di concentramento, ogni campo un puntino, e c'erano così tanti puntini da coprire tutta la mappa.

E quindi hai continuato.

Be' intanto c'era da ritrovare gli altri, da montare.

Invece come hai cominciato?

Come ho cominciato *io*? Lo avrai sentito dire...

Qualcosa, in giro. Mezze leggende, mi sa.

Volevi arrivare a quello?

Sempre che sia vero.

Eh, se è vero...

... Avevamo quindici anni. Hai idea di quanto si è piccole a quindici anni? Avevo questa amica, andavamo sempre in giro io e lei, notti fuori nei posti più assurdi che potevamo trovare, ci intruppavamo con questo o con quel gruppo, quasi sempre a Roma, a volte a Bologna, a Perugia, pure a Genova, ma fu a Roma che finimmo a una festa in un capannone, roba da non credere per noi, quella gente pareva uscita da *Tank Girl*, oltre ai romani c'erano inglesi, francesi, austriaci, passammo la serata con questi Mike, Jody, Renault, gente parecchio più grande di noi, ci dissero che fate a capodanno, volete venire in un posto assurdo? E noi certo che vogliamo venire in un posto assurdo, è una festa chiese la mia amica, e Mike disse la facciamo noi la festa, ma è a Roma, chiesi io, e Renault, che era un francese tutto secco con gli occhi verdi spaccati dal delirio, rise e disse, partiamo da Bologna, e Mike, il nero, sorrise e disse e poi andiamo un po' più lontano, volete venire? E siccome la mattina noi dovevamo prendere il treno restammo che ci saremmo visti in un certo posto, a una certa ora, a Bologna, un mese più in là, e già sul treno con la mia amica cospiravamo su cosa inventarci per stare fuori quattro, cinque giorni, chissà forse pure una settimana, ci inventammo una storia di vacanze studio, e sua mamma, a cui andava bene tutto o meglio non fregava nulla di niente, avrebbe fatto da sponda con la mia, mentre la mia amica, lei non so cosa le avrebbe detto, mi sa che alla fine anche se le diceva oh sto fuori una settimana con Viridiana, di' a sua mamma che siamo a studiare inglese a Londra, quella lo avrebbe fatto senza batter ciglio, e però quando venne il momento di partire lei se la fece sotto, o forse le era passata la voglia, fatto sta che si tirò indietro, anche se resse la storia con mia madre, e io la sera del 26 dicembre 1994 mi trovavo da sola all'angolo tra via Stalingrado e via Bonvicini, avevo finto la partenza in treno verso Pisa come se avessi dovuto prendere l'aereo, ma poi ero scesa a Prato e da lì avevo preso l'Intercity per Bologna, ed eccomi lì in quell'angolo di strada tutto vento e cartacce, e dopo un'ora non era arrivato mica nessuno, e a mezzanotte neanche, e all'una e mezza neppure, avevo già fumato una dozzina di sigarette e non arrivava un'anima, ma a parte il fatto che il primo treno per Firenze sarebbe stato tipo alle cinque e mezza, ormai avevo simulato tutta questa settimana, anzi dieci giorni, fuori, con tanto di scuola d'inglese fissata, mia mamma mi aveva dato pure quattrocentomila lire, e insomma dovevo stare dieci giorni, non è che potevo dire guarda ma' ho perso l'aereo alla fine non vado, sicché aspettai e aspettai e a dieci alle tre arrivò questo tizio magrissimo in eskimo, che mi venne accanto e disse Ehi. Io lo guardai e lui disse:

Aspetti anche tu quei ragazzi?

Quali ragazzi?

Quelli che vanno su. Hai una sigaretta?

Gli porsi il pacchetto e mentre quello se ne prendeva tre e se ne metteva una in bocca, una sull'orecchio e una nel taschino e mi diceva Grazie, guarda, grazie mille, ti sono debitore, hai la mia gratitudine, mi rimetti al mondo, ce ne fossero di persone come te, cazzo, fantastico, sei una grande, super, giuro, ormai anche una sigaretta è diventata chissà che, neanche fosse che cazzo ne so roba, ti pare roba? no cazzo, è un cicchino di merda, che mondo di merda, che schifo di gente, porca madonna, ma che ne sai tu avrai quattordici anni e io dicevo Quindici, ne ho quindici, ecco che da via Bonvicini arrivava un battito ritmato e spuntava un camion verde scuro, grosso, bombato, a targa inglese, ci passava accanto, feci in tempo giusto a vedere un tipo che dormiva con la testa appoggiata al vetro del passeggero, poi il camion continuò fino a una piazzola dove fece manovra e venne di nuovo verso di noi.

Dal finestrino dell'autista spuntava una mano lentigginosa e piena di tatuaggi da galera, con una sigaretta tra l'indice e il medio, e sopra di essa il muso sfacciato, da casual firm, ma neanche: da borgataro sanguinario, ecco, di Jody, che disse:

Dov'è la tua amica?

Non viene.

Sali, disse ancora, e il tipo alto e scavato disse in un inglese quasi inventato Ciao io sono Robbo l'amico di Giangi del Lazzaretto sai quello che gli serviva un passaggio fino a Trieste...

Sali ho detto, disse Jody e poi Aprigli, Renault! e salimmo dal retro e c'era Mike che dormiva su un lettuccio e Renault e una ragazza truce che non conoscevo e che solo tre giorni più tardi si sarebbe presentata come Beatrix, ed era tutto pieno di cavi e casse ammucchiate ovunque e mentre il tipo scavato chiedeva se per caso poteva sedere davanti, fare il cambio con quello che dormiva o almeno mettersi in mezzo tra l'autista e lui (il camion, diceva, gli faceva venire la nausea), e nessuno gli rispondeva, io mi chiedevo se non avrei fatto meglio ad andarmene subito, per il treno non c'era neanche da aspettare troppo a quel punto, questi *passavano* da Trieste e quindi chissà dove andavano, ma mentre stavo ancora pensando Renault chiuse il portellone e il camion partì nella notte e ben presto eravamo sulla tangenziale e al primo autogrill il tipo che dormiva al sedile del passeggero, che si chiamava Scot e sembrava Braccio di Ferro ma senza gli avambracci muscolosi mi disse se volevo fare cambio e dormire un po', e quel Robbo diceva Ehi e io, c'ho anche la nausea, ma nessuno gli rispondeva mentre mi piazzavo lì accanto a Jody che azzannava un pezzo di pane secco e mi addormentavo talmente veloce che neanche mi accorsi di quando arrivammo a Trieste, e smollammo il tipo, e diventammo una colonna di camion, perché al nostro si erano uniti quelli di un convoglio inglese di aiuti, ricordo ancora i dati, come se tutto mi si fosse impresso nella testa in modo inevitabilmente dettagliato, quattro Ford Cargo da sette tonnellate e mezzo e due da diciassette, ventitré persone in totale, e andavamo su a nord, con poche brevi soste, e Renault indicava fuori e diceva Guarda questo è il Carso, e Beatrix invece continuava a guardare il pavimento del camion, e poi giù a sud, e capii dove stavamo andando – sì, pensa che fino ad allora non avevo chiesto, avevo riso, fumato, bevuto caffè all'autogrill, erano tutti molto timidi, anzi chiusi, diciamo, o almeno nessuno ci provava o neanche faceva il simpatico, ma forse erano stanchi, o mi vedevano piccola, o ero timida io, oppure sotto sotto avevo paura di sapere dove ci saremmo andati a infilare e non avevo chiesto niente, né niente chiesi finché non fummo in pieno territorio iugoslavo. Cazzo... Sai, ricordo quando, anni dopo, ero in tinello con mia madre, per una volta riconciliate, e mio fratello si era appena intruppato con questa ragazza bosniaca che aveva conosciuto non so dove, mi sa in Croazia in una di queste vacanze che faceva con quei segaioli dei suoi amici, e sarebbe andato in Bosnia, e non aveva detto il perché e il percome, era chiaro che andava a trovare una donna ma mia mamma non si capacitava, e non riusciva in alcun modo ad accettare che qualcuno potesse voler andare in Bosnia, e mentre diceva Ti rendi conto in Bosnia, come si può voler andare in Bosnia, e io Ma c'è la pace da anni, e lei Sì lo so che c'è la pace, ma dico io, *in Bosnia*, anche con la pace come si fa, e mi venne in mente quel giorno, io che avevo quindici anni e dal finestrino, mentre all'orizzonte si alzavano colonne di fumo scuro guardavo passare un cartello quadrato, verde e bianco, tutto crivellato, e diceva Sarajevo 172 Banja Luka 85 Tuzla 75.

Superavamo case e fattorie disfatte nel verde, sembravano abbandonate da chissà quanto per come l'erba e gli arbusti e i rampicanti si stavano riprendendo tutto, e i paeselli erano sempre vuoti, i muri spruzzati di fori di proiettile, grossi fori neri con l'areola d'intonaco scrostato intorno, e quando menzionai le colonne di fumo, Mike disse Sarà qualcuno che sta bruciando dei copertoni, ma non mi rassicurò, perché mai avrebbero dovuto bruciare dei copertoni? e scendevamo a sud e l'orizzonte era largo e tremolante ed era come scendere lungo un fiume che diventava sempre più nero e inconoscibile, anche se tutto intorno non c'erano che campi e boschi sparsi e case abbandonate.

Quelli dei camion di aiuti ci fecero fermare tutti la notte del 27, non ricordo bene perché, forse aspettavano dritte per arrivare a Tuzla (era lì, scoprivo, che eravamo diretti) in modo almeno un po' sicuro, e dormimmo nel camion, che Jody piazzò tra dei grossi alberi schiantati dalla guerra o dai fulmini, ma nel mezzo della notte ci fu un rimbombo e mi svegliai e uscii, e mi travolse l'idea di quanto generica fosse la mia nozione di dove fossimo, lì in una notte senza stelle in cui il buio sfumava i confini anche delle cose più vicine, solo il russare di Jody e Renault e il respiro di Mike e Beatrix costituivano un qualche appiglio alla realtà, non c'era più un dove o un quando, ero lì sola nella notte dei Balcani, eravamo diretti nel cuore nero dell'Europa, il punto più centrale e profondo e maledetto di qualcosa di grande di cui non avevo che una vaghissima percezione. Tornai al mio posto e ci misi molto ad addormentarmi e mi sembrava quasi di non aver dormito quando mi svegliò al mattino la voce di Renault che gridava stupidaggini tipo Viva la vita di campagna e versava del latte in due tazze sbeccate e apriva un pacco di tegolini mezzo schiacciato, e davanti all'orizzonte di quel mattino del ventotto dicembre 1994, un mattino sterminato, che virava dall'azzurro al bianco, quel mattino ebbi l'impressione che al mondo non vi fosse nulla di spaventoso.

Ci vollero altri tre giorni per arrivare a Tuzla, tra continue deviazioni, su e giù per il confine, e infinite piccole tratte fatte di notte e a luci spente per evitare di farsi sparare addosso. La prima cosa che scoprimmo una volta entrati in città fu che il posto dove Jody, Mike e gli altri avevano programmato di mettere su la festa era stato tirato giù a colpi di mortaio due giorni prima, e il nostro contatto, questo tipo di diciotto o diciannove anni con una felpa gialla disse, con un sorriso ironico eppure disarmante, Scusate, e vedi come ne parlo oggi, come la metto, locali tirati giù col mortaio, locali dentro ai quali potevamo esserci noi, cazzo bastava che fossimo arrivati in orario, strade coi cecchini. Pezzi di artiglieria, mica di speed. Mi chiederai Avevi paura non avevi paura, e io mica saprei come risponderti, ero lì, semplicemente erano completamente diversi i confini del possibile, erano diverse e astratte le regole del mondo, neanche avevo legato troppo con Mike e gli altri o con quelli del resto del convoglio, ma mi sembrava tutto più o meno normale, l'unica preoccupazione, figurati, era se sarei arrivata poi a casa in ritardo, ecco, forse fu lì che cambiò per sempre il mio concetto di limiti temporali, spaziali, fattuali, pensa che siccome il locale non esisteva più, Jody e Mike decisero di montare tutti gli speaker sul retro del camion e portarlo in giro per Tuzla con la musica a bomba, tipo pifferaio magico. Ci fermarono neanche mezz'ora dopo, nello spiazzo tra due condomini sventrati. Erano in tre, senza divisa a parte delle giacche militari diverse tra loro, e uno aveva in testa una specie di basco. Ci spianarono i kalashnikov davanti.

Scendete, disse quello col basco.

Ora ci fucilano, disse Renault scendendo, rivolto a Jody che stava in console.

Scendevo con Mike mentre Scot e Beatrix neanche riuscivano a muoversi per la paura, e mi immaginavo stecchita, lì su quell'asfalto con un buco in fronte e cercavo di buttarla sul ridere pensando cose tipo Questa mia mamma non me la passa.

Jody fece per uscire da dietro la console ma quello col

basco gli puntò il fucile facendogli cenno di rimanere dov'era. Poi fece una faccia molto seria e disse, cercando bene le parole:

Volume up.

Mike e Renault si guardarono stupefatti; io cercavo di accendermi una sigaretta ma tremavo e non mi riusciva. Scot e Beatrix ci guardavano da dentro, ricordo i loro occhi giganti, bianchi, di dietro i finestrini.

Volume up, disse ancora il miliziano. But turn off light.

Jody lo guardò.

Or they see and shoot mortar.

E intanto un altro miliziano rilassava un po' l'AK47 e si avvicinava a me, ero impietrita e quello mi diceva:

Turbofolk, you have?

E Jody intanto doveva aver deciso che era tutto vero, e alzava la musica come gli avevano ordinato, turbofolk non ne aveva, era un pezzo acid house classico dell'88, mi sa *151* di Armando, e arrivavano altri due miliziani e iniziavano a ballare, e gli facevano cenni tipo alza il volume oppure picchia di più, e lui passava alla techno e quelli ballavano, e tiravano fuori bottigliette di šljivovica dando e offrendo sorsi e ballavano sempre più forte e a ogni cambio di basso davano una sventagliata di mitra al cielo e quello col basco faceva cenno a me e Mike, e a Beatrix e Scot che erano ancora dentro, di venire lì, di ballare con loro, e tra smitragliate e sigarette croate ballammo con quelli per quasi due ore, mentre dalle case intorno (avresti detto che erano disabitate) vennero fuori sei, sette, dieci ragazzi e anche due, tre ragazze, e pure loro si mettevano a ballare in quel fragore di vecchia elettronica e armi automatiche.

I giorni dopo, poi... Non so che dirti, davvero, ricordo bene la telefonata a mia mamma, stavo a questo telefono d'emergenza collegato a un generatore e che rimandava, non so, a un sistema satellitare, Ciao piccina tutto bene, ti piace Londra e io guardavo quella strada sventrata e dicevo Sì ma c'è un sacco da studiare, e Mike mi faceva cenno di muovermi col telefono che doveva sentire quelli del posto in cui dovevano suonare, Scusa mamma devo andare se perdo la metro poi non arrivo in tempo a lezione – Mike e Jody infatti avevano trovato da suonare a questo Gautama, un locale famigerato per la strada esposta ai cecchini che bisognava fare per arrivarci, c'era gente che andava lì e poi ci rimaneva anche due o tre giorni per aspettare il momento buono per uscire, a Tuzla tutti i tempi si allungavano, ci ospitarono anche a una radio, radio Syd si chiamava, fu lì che misi i dischi per la prima volta, i due ragazzi che la tenevano su praticamente ci vivevano rinchiusi, e avevano un'aria triste e insieme felicissima per l'averci lì, ci trovavamo a rappresentare qualcosa che andava molto oltre i nostri intenti e le nostre capacità e rimanemmo a mettere dischi a radio Syd per undici ore, per cena fagioli scaldati direttamente nella latta e ogni ora o anche meno quelli ricordavano a chi ascoltava (chissà *chi* ci ascoltava, penso a volte) la serata che avremmo fatto, e nei giorni successivi grazie a una mappetta che ci fecero (e grazie anche a due caschi in kevlar che toccavano a turno a chi stava in console) mettemmo tekno in giro per le strade più praticabili della città e facevamo gli stencil col logo dei Rolling Thunder sui muri crivellati, e in realtà non ci furono grossi problemi, si sentiva solo qualche sparo al pomeriggio e anche i miliziani non si fecero rivedere, finché non ci fu da andare al Gautama, allora ci fermammo dietro un palazzo sventrato lungo il Jama, il fiume di là, ci caricammo mixer, dischi, tutto, negli zaini e fu Renault, che neanche un'ora prima aveva distribuito i cartoni (per fortuna non eravamo ancora del tutto in botta), il primo a lanciare un urlo e darsi a corsa e dietro di lui tutti, e anch'io, io ero veloce, alle medie correvo i duecento, i quattrocento, Sei tutta leve lunghe diceva sempre il mio professore, roba da regionali, anche se ai regionali non ci andai mai, ma lì correvo, un attimo dopo ero avanti anche a Renault, un groviglio di cavi che gli penzolava dallo zaino come la coda di un qualche ibrido uomo-macchina-animale, e anche a Mike che pure andava forte, correvo avanti a tutti, mi spingeva il loro rumore, le urla e gli sbuffi di ognuno, e sentii uno schiocco, uno strappo, ancora spesso ci penso e mi chiedo se non fosse stato qualcuno che correndo aveva schiacciato un pezzo di plastica, una bottiglietta, ma al suono alzai la testa e dietro lo stipite di una finestra vidi un uomo in giubbino di jeans canottiera e sciarpa, che piegato su di sé faceva qualcosa, chissà forse riparava la finestra, non so, l'avvolgibile, ci ho pensato a volte, che magari cercava qualcosa sotto il davanzale, ma aveva qualcosa in mano, la verità è che armeggiava con un fucile, cambiava un caricatore, e vidi la morte correre sul movimento contenuto di quella spalla, di quel mento, e si sentì un altro schiocco, anche se diverso dal primo e tutti correvano anche più forte e gridavano in inglese in francese in bosniaco, e mentre correvo non avevo esattamente paura, era più esaltazione, anzi un'impressione come di prolungato déjà-vu, come se quella strada, quel marciapiede tutto sassi, quei muri scrostati, quell'insegna di cui rimaneva solo l'armatura arrugginita, mi fossero noti da sempre, e da sempre corressi lì, così come da sempre mi sarebbe sembrato di aver ballato e ballare lì al Gautama. Ci entrai con un salto, la porta era aperta (c'era pure un cane che faceva capolino) e atterrai su un vecchio divano scassato, con piccoli fiori rosa ricamati a macchina, ci atterrai di faccia e mi ritrovai davanti Jody che era lì da prima, mi strattonò dentro e mi guardò con una preoccupazione che non capii e dentro c'era già qualcuno che ballava e ti giuro a ripensarci oggi ti direi che mi misi subito a ballare anch'io e via via che la gente aumentava, piano, pianissimo, ma aumentava, entravano cappellacci di lana e scarponi da lavoro e cappottini rossi infeltriti, e io ballavo più forte, ballavo e ballavo e ballava la gente intorno a me, e può darsi che dopo quella notte vidi qualcuno ballare più selvaggiamente, forse anche con gioia maggiore, ma ogni folla di cui feci parte, ogni ballo, sempre, ogni volta, fu un riflesso e una continuazione e una diffusione di quella folla là.

E di quella musica?

E di quella musica. Di quella techno da cui proprio in quegli anni stava nascendo la free tekno. Non sto ad ammorbarti con BPM, linee di basso da 4/4, e neanche con storie romantiche in cui una sera Derrick May ascolta i Kraftwerk e dice Wow. Il grottesco, tra l'altro, è che la techno ha vinto, la senti nelle pubblicità, nelle palestre, nei discopub, e però è stata espulsa dai suoi luoghi di elezione. Anche in rete prende una tristezza, a vedere tutti quei nodi free tekno fermi al 2009, al 2005, al 2002... Vabbe'. Dicevo: non ti spiegherò cos'ha di speciale un Korg Zero 4 o una Roland TB-303, o le differenze tra una TR-808 e una 909... Il punto della tekno per me è che non c'erano più ritornelli o frasi ma una serie di suoni rapidi ritmati in successione che distruggono ogni punto di riferimento: rifiuta di rassicurarti in senso intellettuale per farlo direttamente in senso emotivo se non addirittura spirituale, e lo capisci quando vedi la gente che come un mucchio di metronomi messi vicini comincia a prendere lo stesso passo, e nelle loro teste, nelle loro onde cerebrali, fidati, pure nei loro chakra se credi a 'sta roba, succede la stessa cosa.

E se fosse solo una forma molto avanzata di svago?

Lo è. Anzi, proprio perché lo è, perché non c'è dottrina se non quanto viene dimostrato attraverso la pratica, il culto che officiavamo era qualcosa di vero. Perché sognare un quarto d'ora di celebrità se potevi prenderti dieci o venti ore al centro dell'universo? Vaffanculo a tutto e tutti, no? E la bellezza. Potevamo creare ovunque la bellezza: in ogni angolaccio, sotto a ogni cavalcavia, poteva sgorgare una fonte di meraviglia. Ogni periferia, ogni cittadina di provincia senza più guizzi poteva tornare a splendere e ribollire per una notte. E non parlo solo dei posti dove andavamo: il fatto che andassimo in alcuni faceva sì che tutti, in potenza, custodissero la bellezza. Quindi la speranza. Sai che a volte sogno il teknival?

Capita anche a me. Ma sogno anche il liceo, sicché mi sa che non vuol dire molto.

Sogno un certo muro, mi sa che tra tutte le feste a cui sono stata negli anni era quello di una vecchia festa del '98 o del '99, a Ruigoord. Quella facciata che mi guarda. Mi sogno quel muro di speaker, ma sterminato, ibridato con quello di altre feste, e mi parla, deve trasmettermi chissà che segreto, come il monolito di *2001 Odissea nello spazio*... A volte ho pure l'impressione di ricordare feste a cui non sono stata.

Mi sa che c'entrano gli acidi e la ketch. Psichedelia più scollegamento.

Probabile. E infatti sai chi mi sta sulle palle? Quelli che "ci si può godere una festa anche senza droghe". Per carità, verissimo, sai quante volte l'ho fatto, specie se il giorno prima mi ero sfondata e dovevo riprendermi, ah ah, pensa che Tommi dei Nasak avrà fatto in vita sua due, tre botte di md, ma farne manifesto, che segno di debolezza è? Che ammissione di sconfitta? Pensa agli anni '60, cazzo, Ginsberg e Burroughs e...

...Kesey? Leary? Huxley?

...ecco sì, tutti quelli, erano riusciti a far passare qualcosa di grande, il messaggio che mangiarsi gli acidi non era una stramberia, un "in più" o peggio ancora un abuso, ma un fatto fondamentale, il modo corretto per capire la cultura che stava emergendo: anzi, per capire il mondo in generale. Sarebbe come dire che è bello farsi l'Oktoberfest senza droghe, cioè senza birra. Certo, se il tuo hobby è stare a guardare la gente ubriaca. O un baccanale senza vino, che ne so un mistero...

...Eleusino?

Eh. Un mistero eleusino senza il beverone. Sai cosa ti dico, ci è mancata la forza di rivendicare le droghe, abbiamo messo su un pudore che ci ha impedito di dire chiaro e tondo che cosa voglia dire, mettersi sulla lingua quel quadrettino di carta impregnata di dietilammide dell'acido lisergico quando la serata sta iniziando, sentire un'energia nuova e strutturata attraversarci come se arrivasse a noi da chissà dove, ballare nel caos stellante, godere dei sensi esplosi, farsi baciare all'alba dal sole. Tu mi dirai ma questo lo hanno già fatto quelli là negli anni '60. Vero. Dovevamo andare oltre. Ricordo che una volta, era un periodo di stanca, eravamo in quel posto autogestito, a Firenze, non stavo più coi Rolling Thunder, mi ero fatta un periodo con dei francesi e poi ero finita cogli Inkal, stavamo lì parcheggiati, c'era pure gente di Firenze tipo Foffo, Melusine, la Bibi, e a un certo punto arrivò proprio la tua Cleo, che poi diciamocelo, era una stronza che pensava di essere ancora negli anni, ma che ne so, '70, venne a dirci Ma muovete il culo una buona volta, mobilitatevi, fate qui, fate là, rivendicate qualcosa, e Foffo tutto fatto a mezzo pomeriggio, sdraiato sullo scalino del camper disse, anzi farfugliò, Io rivendico la ketamina, e quella lo mandò a fanculo, e io lì per lì pensai pure che avesse ragione lei, e invece no, dovevamo davvero rivendicare la ketamina, che era nostra e ce l'hanno scippata, l'hanno etichettata come anestetico per cavalli anche se, se è per uso umano, è uno dei farmaci fondamentali dell'OMS ma è troppo goloso, sui giornali, nella chiacchiera da bar, quel "per cavalli", fa venire in mente dosi da cavalli, il palio di Siena, doping bestiale, sfracellamenti di zoccoli sul pavé e schiume alla bocca, e invece si usa pure per i neonati, pure per le operazioni d'emergenza.

Bella pubblicità, sembra quasi che c'hai da venderla, eh Vi'?

In realtà sì. Trentacinque mezzo pezzo. Te la faccio a trenta. Oh, cucinata ora eh.

Non sia mai il contrario... Continua, piuttosto.

Che ti dicevo... Ah, sì, la ketch, toh, ecco spiegata la luce dall'alto, l'esperienza fuori dal corpo che tanti raccontano dopo un'operazione in anestesia. E noi ce la siamo lasciata fregare, etichettare. Dovevamo rifarci da capo, ora che lo spettro della robba aveva smesso di gettare ombra su tutto il resto, ripartire dal basso, rivendicare addirittura il fumo.

T'immagini. Come Baudelaire, o Samain, che per elogiare le *Vite immaginarie* di Schwob le paragonava all'hashish.

Perché no? Il buon fumo nordafricano profumato come incenso o miele, che rilassa e favorisce il sonno, o quello indiano o nepalese, scuro e buono per la meditazione, e con esso l'erba, sì, sai cosa ti dico, come un beatnik mezzo esaurito, come un jazzista nero degli anni '50 avremmo dovuto rimetterci a parlare dell'erba, e tu mi dirai Ma dai Viridiana ormai fumano anche i ragazzini, per dio fumano i pensionati per prevenire l'Alzheimer, e io ti dirò che invece avremmo fatto meglio a fare qualche discorso in più, e poi, ovvio, cosa può voler dire bere dell'acqua dove è stato sciolto uno zerodue di MDMA e venire riempiti di amore e gioia come d'acqua i secchi, e quanto quella gioia, il ricordo di quella gioia, la nozione dell'esistenza di quella gioia, una gioia pura, scollegata dal desiderio, ti rimane poi addosso. Altro che calo della serotonina. Dobbiamo *tutti* farci carico di chi prende troppa md? Di chi la prende ogni settimana e dopo un po' va fuori di testa? I consorzi DOCG come portavoce hanno l'ubriacone del sottopassaggio? La speed, poi, le metanfetamine: lo sai chi se le è prese le metanfetamine? *Winter's Bone. Breaking Bad.* 'Sta gente qua, questo immaginario qua. E faranno pure male, per carità ne ho vista di gente impallinata, emaciata, privata del sonno fino all'ossessione, i rubinetti dopaminergici spanati, ma rovinati come in quei film, in quelle serie, in certe clip che ogni tanto girano su Internet, mai: ricordo invece bene quanto sia bello a volte allontanare l'ora del sonno, arrivare a mattino e comincia un altro giorno, arrivare a sera e siamo ancora in ballo, e poi di nuovo il sole e poi la festa della domenica sera, quando sono rimasti solo gli intimi, e davvero quando al lunedì mattina ti bacia tutta tirata e spaccata e smascellante sei una dea, perché sei fuori dai ritmi degli uomini. Perché conosci tempi preclusi agli uomini, tempi e anche luoghi: anche luoghi, noi che avremmo dovuto rivendicare il DMT e i suoi palazzi di luce dove risuona sempre l'AUM, i suoi elfi della macchina, e quelli più groviglianti e oscuri della Salvia Divinorum, la dea tentacolare in fondo alla tana del coniglio... Sto facendo una sparata?

Un po'. Dai, vai avanti.

E poi... E poi, quando sarò davvero stanca e mi faranno

male i tendini e le mascelle ci sarà il papavero riparatore. Se avessi fatto tutto questo potrei anche andare oltre, infrangere i tabù, arrivare come il Freud più farneticante a rivendicare la coca, che non è quella dei calciatori e dei politici, ma la foglia buona per gli infusi, e quanto è santa quando scaccia la stanchezza di un dopocena, quando alimenta un amplesso – non quando dopa quello poco ispirato, ma quando alimenta quello già feroce; potrei a quel punto essere completamente sfacciata e dalla foglia di coca arrivare alla cocaina, dall'oppio arrivare a rivendicare l'eroina, proprio lei, il babau, diacetilmorfina, il flagello di intere generazioni, invocare la santità dell'arbitrio personale e dire che una stagnola di pace ogni tanto non ha mai fatto male a nessuno. Chiaro, poi dovrei razionalizzare, arriveresti tu a dire Eh oh mah bah, è proprio quando la gente ha cominciato a scraccare, a riprendere in mano le stagnole, le spruzze addirittura, che le feste sono degenerate, e avresti ragione, anzi pensa che una volta quando beccammo quelli di Techno+ a dare le stéribox li prendemmo a calci nel culo...

Cosa sono le stéribox?

Delle scatolette con siringa, cotone, quella roba là. Non è che non mi sono mai fatta una spruzza eh, ma era inconcepibile, un conto è la prevenzione, un altro banalizzare le pere alle feste... Perché vedi, il diavolo sta nei soldi, e se muovi coca o roba fai presto a capire che puoi farne un sacco, anzi, è proprio che coca e roba *sono denaro*, e infatti non mi piaceva, tra tante storie, fare proprio quelle, per gli occhi di chi le muoveva. Che occhi, dici? Non so, non so, quando arrivò la speed c'erano quelli che dicevano che aveva rovinato tutto, uguale con la ketch, dicevano che aveva trasformato le schiere angeliche in un mucchio di robot coi cavetti staccati, ma devi per forza giudicare da fuori? Che mondi di visioni nascondeva ognuno di quei bozzoli mezzi svenuti a bordo pista? Sarebbe come giudicare se una cena è buona guardando la gente che la mangia... Ma è vero, l'avvento di ketamina e speed ha cambiato in peggio la vibrazione generale, e quando poi la gente ha iniziato a scraccare coca e farsi di roba la scena è degenerata, perché gli scracconi sono nevrotici e i robbosi avidi e privi di sentimenti (hanno del resto ridotto tutti i problemi del mondo a un solo problema: trovare-altra-roba) e per comprare tutta quella coca e tutta quella roba devono portare molta più ketamina, e md, e acidi, e speed (e coca, e roba) da vendere, devono per forza fare business, e un momento di liberazione dalle forze di quello che una volta (un *una volta* ancora precedente) era chiamato "il sistema", si trasformava in un mercato e quindi nel sistema stesso. Lo capivo quando facevamo le storie (in realtà no, era la mia vita in quel momento, lo vedo e lo dico solo adesso), a ripensare a certi momenti, quando andavamo nei campi da golf della Scozia a fare il carico di funghetti e li trasformavamo in biscotti e marmellata, quando andavamo a prendere i cartoni ai Rainbow Gathering da barbogi che non si sa come avevano sempre fogli su fogli di Hofmann nuovi di pacca, e non era male neanche prendere l'md, per un periodo andavamo sempre da dei ragazzi di Perugia che a loro volta la prendevano a sacchi in Lituania, da un'industria chimica riconvertita, e ogni volta che andavamo da loro, Dido, uno di quelli, non la smetteva di parlare del sassofrasso, dell'olio di sassofrasso, come se ricordare che l'MDMA non è sintetica ma semisintetica, tirata fuori insomma pur sempre da un albero, in qualche modo lo assolvesse... Vogliamo parlare di quanto era bello andare per campi in Andalusia, dove l'oppio viene prodotto per lo stato, sai la morfina degli ospedali, roba così, e infiltrarsi di notte in quel lenzuolo ondeggiante di papaveri, inciderli coi coltellini e poi tornare a raccogliere quelle lacrime di resina fattasi scura... Dalla terra a noi, e se non fosse abbastanza straordinario, potrei fare un altro passo: dall'acqua a noi, sì, e raccontare del "porro del mar," a Tarifa, etti su etti di hashish prodotto negli altopiani del Kif, con tanto di timbro dello scorpione o della navicella spaziale, che gli scafisti buttavano a mare nel loro cellophane blu o verde scuro, quando venivano intercettati li smollavano nel mare notturno, li abbandonavano nei loro galleggianti artigianali pure verdi, e se tu avevi fatto nottata in quella costa, che è il punto più a sud di tutta l'Europa, al mattino, più spesso che no, specie d'estate, specie in una certa baia dove tiravano le correnti, li vedevi spiaggiati, meduse di plastica tutte da sbollare... E poi i luoghi che non ti aspetti. Per il DMT – sì, una volta volevamo andare a far storie a un festival goa, ormai avevo smollato le tribe serie, stavo con dei tipi di Torino che trafficavano e basta, sicché volevamo essere completi – finimmo in Germania, alla facoltà di Chimica dell'Università di *********, dove una professoressa che avrà avuto cinquant'anni, cerchietto lillà tra i capelli appena spruzzati di grigio, ce ne vendette seimilacinquecento "unità", e poi voleva darci anche l'md, ma purtroppo eravamo già passati a Perugia, La sintetizzo dalla vaniglia, diceva lei, e ci mostrava pacchi di vaniglia del Lidl e quell'MDMA in purezza, bianca e fina, così diversa dai nostri cristalloni da laboratorio clandestino che prendono il giallo e a volte il grigio o il viola dai solventi usati, tanto bianca e fina che se qualcuno ce l'avesse proposta a una festa lo avremmo mandato chiamato tirapacchi credendola chissà cosa, e poi la ketamina negli ospedali o negli zoo, sono sempre gentili negli zoo, specie all'Est, quando ti vendono scatole su scatole di flaconi di Ketaset, da cui tu armata di padella e fornellino tirerai fuori puri (quelli, almeno, sì) i fiocchi di ketamina, io tra l'altro ho sempre pensato che il boom della ketch avesse ragioni anche estetiche, questo fatto di cucinarla, di grattarla, sapeva di accampamento postnucleare, di fine dei tempi, oppure quando prendevamo la speed (che quella che gira oggi, anche la migliore, sarà pure forte, ma l'ha fatta comunque qualcuno in un garage con prodotti di mesticheria): nella stagione migliore andammo a prenderla in Croazia, e proprio a me che "conoscevo la zona" (sapevo assai io, in realtà, ricordavo assai, tra l'altro eravamo andati subito in Bosnia, quando stavo con Jody e gli altri) toccava guidare quelle spedizioni dai soldati, dagli ex soldati, metanfetamina di stato prodotta negli anni della guerra per le marce e il cecchinaggio e i massacri, un'arma che nelle nostre mani diventava motore della festa, e però, sì, anche in quell'ambiente truce della periferia di Spalato, dove c'era chi tagliava panette di fumo cattivo con un coltello che era praticamente un machete e diceva a mezza bocca Questo l'ho preso a un chetnik che ho ucciso, anche lì si stava meglio di quelle poche volte in cui sono stata a fare storie di coca o roba, neanche tra i reduci di guerra si vedevano quegli occhietti avidi, troppo lucidi oppure privi di qualunque luce: da gente brutta, in posti brutti, peggio di una banca disse uno dei nostri una volta, diceva per ridere ma ci aveva preso... E quindi forse la risposta alla domanda, a quel "come mai le feste non sono più come una volta", sta lì, nello spostamento verso sostanze più dannose e costose e per nulla collegate all'apertura delle coscienze, anzi piuttosto alla loro risintonizzazione sul denominatore dei quattrini, e avrebbe pure senso, ma c'è anche un problema di approccio, più ragazzini uguale più gente che si sfonda, e tu magari mi dirai Ma vien via Vi', perché tu, non ti sfondi? ti ho vista una volta in spruzza di ketch a una festa dei... Vero, vero, cazzo, uno zerouno inframuscolo, madonna sembravo un transformer a cui hanno buttato un secchio d'acqua, e però un minimo di consapevolezza, di conoscenza dei prodotti, di calcolo dei modi e dei tempi c'era sempre, ora pare che vengano per fare il tonfo più forte possibile, una volta a una festa a Segrate, mi trovai accanto uno, io stavo in cartone pieno, immagina cosa vuol dire trovarsi accanto quando sei tutta coscienza e ti giri e stiri raddolcita su un materasso buttato là, una faccia bianca con le labbra blu, la faccia di un morto, un assiderato dell'Everest, una carcassa tirata fuori da una camera a gas, ebbi un tuffo al cuore e lo spinsi sul fianco col piede e quello rullò fuori dal materasso, trututum, inerte sul cemento, non è che non avessi mai visto i collassati, ma quella volta mi prese proprio a male, sarà che non era una festa mia, sarà che ero nel picco, e allora schizzai su Oh oh c'è uno che sta male! e un ragazzino dietro, mezzo spento (ma almeno non blu), Ma di che, mi fa, Sta a posto, è lui che è un coglione, e io Ma siete suoi amici? e quello non mi rispondeva e allora anche se mi faceva impressione gli mossi la testa finché non riuscii a fargli avere una mezza reazione, a fargli storcere un labbro, gliela riappoggiai sul cemento, che a tirarlo su non ce l'avrei fatta di certo, e mi spostai più in là... sì, solo quattro passi, anch'io non è che feci gran cose... mi dirai, Il problema allora sono i ragazzini? Una volta, eravamo in questo centro sociale a Roma, di quelli che hanno abbastanza credito o sono abbastanza lontani dai centri abitati da poter dare asilo alle feste ma sono ormai fuori da un discorso sulle feste, nulla a che vedere con quello che faceva, non so, il Livello a Bologna, con lo stand per l'analisi delle pastiglie, vabbe', insomma, eravamo in 'sto posto, a una serataccia mezza techno e mezza hardcore, giusto perché con Foffo e la Bibi stavamo a Roma, c'avevamo da finire una storia e non volevamo sbatterci troppo, spostarci, e lo sai, con l'hardcore è garantito che ti arrivano duecento gabberini impallinati in giubbetto Napapijri, e con noi c'era Jody dei Rolling Thunder, hai presente il tipo, e a un certo punto non avevamo da fumare così Jody propone a uno di questi ragazzotti che stava lì al muro a fare una canna di fare uno scambio, Ti offriamo un par di righe di speed e tu ci dai un po' di ganja, che ne dici, e quello, avrà avuto diciotto o diciannove anni, tipetto alto, tutto schizzato, teso, sicuro in botta di basi, non so se coca o speed ma di certo aveva l'aria di uno che ha fumato e rifumato anche quattro o cinque pezzi in serie, spalle larghe, uno magari abituato pure a darlo, qualche schiaffone ai suoi coetanei, e come ci mettiamo al tavolo per fare su quello strappa la speed di mano a Jody, si alza e gli dice una roba tipo Mo' m'aa tengo io. Ora, in condizioni normali, in una strada di Bristol, o anche di Roma loro due da soli, Jody gli avrebbe spezzato le ginocchia, rotto le reni, gli avrebbe preso il cuore e lo avrebbe messo in una busta e portato gocciolante a sua madre, e infatti già gli agguantava il polso, ma c'eravamo noi, e c'erano gli amici di quell'imbecille (e anche se erano ragazzetti, erano abbastanza schizzati da non aver mica paura, e potevano anche essere abbastanza stronzi da aver dietro una lama) e c'era tutta la gente intorno, e quindi se Jody avesse fatto qualcosa sarebbe partita una rissa orrenda, avremmo rovinato la festa e creato problemi a un posto che comunque si sbatteva a metterla su, e fatto danno alle feste in generale, anche se ormai, sarà stato il 2010, non so se c'era ancora qualcosa da danneggiare, mancava giusto la rissa a coltellate, e quindi tutti a dire No dai Jody stai buono (al ragazzino gli amici mica dicevano niente, le merde) e andò a finire che Jody gli mise soltanto giù il braccio ma la busta di speed cadde aperta sul tavolo che era zuppo di birra o forse gliela mollò proprio a spregio e noi a dire Lascialo stare non ne vale la pena e Jody insomma dovette beccarsi pure un Inglese dimmerda, mentre quelli tutti ingiaccavventati se ne andavano e anche se biascicava roba del tipo I'll get you later poi lui stesso dovette ingoiare il rospo se non voleva proprio buttare la serata, *se voleva divertirsi...* Poi, ovvio, c'è anche il problema del business, ragazzi che per farsi grossi vendono, tutti a vendere, ma insomma se me ne lamentassi io che quando stavo a Roma ho pagato l'affitto per due anni a ketch e md, non sarei seria, che dici? Possiamo dire solo una cosa: che, ok, troppo business non fa bene alle feste, l'idea era quella di un'economia di scambio, ma anche quando qualcuno esagerava era microcommercio, simile a quello del tipo che portava una damigiana di vino per venderla al bicchiere o di chi stampava le magliette e metteva su il banchetto... Cazzo, conosco gente che dopo aver fatto su cinque o seimila euro a un party poi li spendeva subito, anzi andava magari pure sotto di un paio di migliaia, per prendere un sound più grosso... No, il problema è quando iniziò ad arrivare gente che con le feste non c'entrava. Mi viene in mente una volta, al teknival di Pinerolo, c'era questo banchetto che per tutto il giorno aveva venduto piadine e poi alla notte partì con la coca, grammi pesati, veri, a 150, pronti da scraccare, e stai tranquillo che quei tre lì dietro non erano esattamente "raver"... Ci siamo capiti.

E la repressione?

Mah. Non lo so se la colpa di tutto è della repressione, certo per carità è vero che i primi tempi gli sbirri si mettevano lì un paio d'ore, perquisivano un tot di macchine e poi tanti saluti, e nessuno si faceva male, a ripensarci forse non avevano ancora inquadrato la cosa, mi pare strano tanto buonsenso fosse pianificato, ed è vero che via via hanno alzato sempre più la pressione, hanno cominciato a sequestrare impianti, denunciare gente a caso, ma anche quando la repressione arriva davvero, penso che tutto dipenda da come reagisci, da come te la vivi, non so dire se alla cultura dei party sia mancata una battaglia...

Tipo Stonewall?

Eh, un momento di ribellione... Ma penso di no, se ce la fossimo rifatta davvero contro gli sbirri avremmo avuto tutti contro, ovvio, li avevamo già tutti contro, mancava il riconoscimento, è normale, che c'è signora, ha qualche problema? Come dice, suo figlio? Guardi che l'alternativa qui in questa landa di casette a schiera e capannoni dove l'ha cresciuto, era spritz e cocaina... Lo preferiva tutto spritz e cocaina? E di chi i capannoni li ha costruiti e lasciati qua ne vogliamo parlare? che magari sono pure di Eternit. Ah, no, è peggio lasciar qua due latte vuote. È peggio la Bibi che si fotte un cartone di succo alla Despar? Non le piacciono molto i nostri abiti trasandati? La musica così alta? Scusi, eh, scusi se abbiamo custodito la tradizione del viaggio iniziatico e l'abbiamo portata a quel caprone di suo figlio, pigliandoci pure le pedate nel culo dagli sbirri per farlo, e cristianamente incassandole... E poi, sai, dall'altro lato è anche vero che se le feste si sono diffuse in Francia è stato perché gli inglesi erano stati repressi e si erano spostati, e poi dopo la legge Mariani che li cacciò di Francia, giù in Italia, a occidente in Spagna e Portogallo o a oriente in Repubblica Ceca e Slovacchia, le condizioni sociali, politiche, geografiche, e le energie in ballo fanno sì che a volte una repressione secchi il terreno e altre diffonda le spore più di qualunque azione. Se sei abbastanza carico possono solo spingerti da un'altra parte, come un liquido, io a Mlýnec u Přimdy, al Czechtek del 2005 insomma, quello famigerato dove volarono le mazzate, c'ero, ero là coi Rolling Thunder, ovvio che non piace a nessuno venir cacciato a manganellate, ma avevamo dentro uno spirito esorbitante, quando ce ne andammo c'era la rabbia, la preoccupazione per chi si era fatto male, l'odio anche, ma più che altro c'era il nervoso per lo sbattimento di essere andati fin lì a vuoto, e quello già è un segno che non l'hai presa troppo male, pensa che, nonostante tutto, sulla strada per andarcene ridevamo, pensavamo alla prossima festa, e anche quando in Italia hanno cominciato a piovere denunce per occupazione di terreno, e mica denunciavano solo noi, buttavano dentro chiunque, gente a fare footing, giornalisti, quelli dei chioschi dei panini, certo dopo tutti assolti, ma molti non impugnavano, pagavano la penale e intanto si sporcavano la fedina, anche lì andavamo via col sorriso, perché eravamo tanti, eravamo tutto un mondo e quindi cazzo ce ne fregava di cosa faceva l'altro mondo? Tanto più che di storie ce ne stavano di peggio, c'era chi per sfiga si era fatto qualche giorno dentro per un paio di grammi di qualcosa, c'era addirittura chi, Scot mi pare, anzi no era la sua donna, che stava coi new age traveller quando la Thatcher diede l'ordine di massacrarli, nell'85, e quelli mica facevano niente, furgoni colorati, tamburi, non so, giocolerie, bambini, e gli sbirri inglesi giù botte anche ai ragazzini, giù calci ai lettucci di legno in quei vagoni, mica stavamo così noi, anche se a ripensarci è chiaro che a voler categorizzare, in un modo un po' troppo schematico forse, a dirlo mi viene da ridere quindi chissà se è vero, siamo stati una minoranza perseguitata, ma non ce ne accorgevamo perché comunque a essere in tutto e per tutto tekno traveller eravamo pochi, gli altri avevano chi un piede, chi una gamba, chi due nel "mondo di là", quindi sì forse ci siamo fatti inculare, forse dovevamo crederci di più, rivendicare per l'appunto: sai che le tribe francesi fanno i tavoli col ministero? Il mio amico Renault quando stava in un'altra tribe ha incontrato pure Sarkozy, quando era ministro degli interni. Ma ora se ripenso a quegli anni trovo solo nostalgia per quello che eravamo, non odio per chi ha cercato di farci male, mentre un momento brutto, un momento brutto è stato neanche troppo fa, boh, fine 2013, quando ho letto nella pagina Facebook dei Monkey Family, che li conosco pure, dopo che nessuno gli aveva dato mano a pagare le scariche di multe che si erano presi,

RAVE ON, keep these ones for others, go
and give your 50 € in the night clubs to the Others...
and keep on supporting the prostitution!...
weak fake ass bitches

Freeparty for us is dead. (gerard majax)
NO MORE MONKEY PARTIES

e in quelle cinque righe sentivi che era morto qualcosa, uno spirito prima che una singola tribe, anche perché neanch'io gli avevo dato mica un cazzo. Poi notai che sotto al messaggio c'era un bottone per dare due lire con Paypal, e non gli diedi niente lo stesso... Oh, ma che facciamo, andiamo a ballare?

Come?

Ti ho chiesto se andiamo a ballare. Non eri venuto per lo *Space Picnic*?

Dici che è già cominciato?

Eh, se è cominciato, andiamo,

e mi prende per mano.

L'incenso, erotico e ferale, trasfigura il respiro; alla percossa deliberata [...] l'udito si apre con un trasalimento; il turbine incandescente dei canti, delle icone e delle fiamme unifica e moltiplica le percezioni. Tutti e cinque i sensi sono gettati al largo, fuori dal corpo, fuori dello "spazio demoniaco" del mondo: verso uno stato di veglia acuta, sapientemente suscitato e perpetuato, che è già l'inizio della loro trasmutazione. Di nuovo, chi abbia assistito anche solo una volta a una liturgia tradizionale celebrata con ispirazione, non sarà indotto facilmente al commercio, persino di fronte all'arte più consumata, della parola bellezza.

Cristina Campo, *Sensi soprannaturali*

Rispetto alle manifestazioni socialiste contro l'oppressione, i free festival erano celebrazioni anarchiche di libertà e, in quanto tali, costituirono un nuovo problema per le autorità costituite.
Come impedire alla gente di divertirsi? La risposta era prevedibile: spazzateli via.

Penny Rimbaud, *The last of the hippies*

APPENDICI

1. WORLDWIDE RAVER'S MANIFESTO PROJECT

Il nostro stato emotivo è l'estasi. Il nostro nutrimento è l'amore. La nostra dipendenza è la tecnologia. La nostra religione è la musica. La nostra moneta è la conoscenza. La nostra politica è nessuna. La nostra società è un'utopia sebbene sappiamo che non avrà mai luogo.

Potete odiarci. Potete ignorarci. Potete non capirci. Potete essere inconsapevoli della nostra esistenza. Possiamo solo sperare che non ci giudichiate, perché noi non vi giudicheremo mai. Non siamo criminali. Non siamo disillusi. Non siamo tossicodipendenti. Non siamo dei bambini ingenui. Siamo un villaggio globale, tribale, di massa, che trascende dalla legge fatta dall'uomo, la geografia e il tempo stesso. Noi siamo una unità. L'unità.

Siamo stati attratti anzitutto dal suono. Da molto lontano, il battito smorzato, temporalesco, echeggiante, era simile a quello del cuore di una madre che tranquillizza un bambino nel suo ventre di cemento, acciaio e cavi elettrici. Siamo stati risucchiati in quel ventre, e lì, nel suo calore, nella sua umidità e nella sua oscurità, siamo giunti ad accettare che siamo tutti uguali. Non solo per l'oscurità e per noi stessi, ma per la musica che batteva dentro di noi e passava attraverso le nostre anime: siamo tutti uguali. E attorno ai 35Hz possiamo sentire la mano di un dio sulla nostra schiena, che ci spinge avanti, ci spinge a rinforzare il nostro pensiero, il nostro corpo e il nostro spirito. Ci spinge a voltarci verso la persona vicino a noi per unire le mani e farla esaltare condividendo la gioia incontrollabile che proviamo creando questa bolla magica che almeno per una notte può proteggerci dagli orrori, dalle atrocità e dall'inquinamento del mondo esterno. È in questo preciso momento, con queste prese di coscienza, che ognuno di noi è veramente nato.

Continuiamo ad ammassare i nostri corpi nei locali, nei depositi e negli edifici che avete abbandonato senza alcuna ragione, e gli riportiamo vita per una notte. Una vita forte, deflagrante, pulsante, nella sua più pura, più intensa, più edonistica forma. In questi spazi improvvisati, cerchiamo di liberarci dal peso dell'incertezza di un futuro che voi non siete stati capaci di stabilizzare né assicurarci.

Intendiamo abbandonare le nostre inibizioni e liberarci dalle manette e dalle restrizioni che avete posto su di noi per stare tranquilli. Intendiamo riscrivere il programma con cui avete cercato di indottrinarci sin dalla nostra nascita. Programma che ci dice di odiare, di giudicare, di ficcarci nella tana più vicina e pratica possibile. Programma che addirittura ci dice di salire scale per voi, saltare nel cerchio, correre per labirinti o dentro ruote da criceto. Di cibarci dal luccicante cucchiaio d'argento col quale tentate di nutrirci, anziché lasciare che ci nutriamo da soli, con le nostre stesse e capaci mani. Programma che ci dice di chiudere le nostre menti, invece di aprirle.

Fino a quando il sole sorgerà a bruciarci gli occhi e rivelare la realtà distopica del mondo che avete creato per noi, noi balleremo ferocemente con le nostre sorelle e fratelli, celebrando la nostra vita, la nostra cultura e i valori in cui crediamo: pace, amore, libertà, tolleranza, unità, armonia, espressione, responsabilità e rispetto.

Il nostro nemico è l'ignoranza. La nostra arma l'informazione. Il nostro crimine è violare e sfidare qualsiasi legge che voi sentite aver bisogno di utilizzare per porre fine all'atto di celebrare la nostra esistenza. Ma ricordate che se potete fermare una qualsiasi festa, in una qualsiasi notte, in una qualsiasi città, in una qualsiasi nazione o continente di questo magnifico pianeta, non riuscirete mai a spegnere tutta la festa. Non avete accesso a quell'interruttore, non importa cosa pensate. La musica non si fermerà mai. Il battito non si eclisserà mai. La festa non finirà mai. Sono un raver, e questo è il mio manifesto.

2. FRANGETTA RAVE

Vado alle feste...
Vado alle feste da un anno...
Da un anno porto il mio cane alle feste...
Vivo con i miei...
I miei mi mantengono...
I miei mi hanno dato i soldi per comprare il furgone...
I miei mi hanno comprato il furgone...
Vado alle feste in furgone...
Metto il mio cane in furgone...
Ho le Osiris D3...
Ho la maglia Karl Kani...
Ho i pantaloni Broke e sotto la gonna metto i fuseaux...
Ho la gonna zebrata...
Ho gli occhiali zebrati...
Ho la figa zebrata e il mio cane è zebrato...
Se i miei genitori sapessero che mi drogo mi comprerebbero le droghe...
Odio la droga...
Odio la roba...
W la ketamina...
W l'MDMA...
W il crack...
Alle feste siamo tutti fratelli e sorelle...
Ho scoperto che mi scopo mio fratello...
Ho scoperto che mia sorella si scopa mio fratello...
Ho scoperto che mio fratello si scopa da solo...
Ho scoperto che mio fratello si scopa il mio cane...
Ho scoperto Fotolog...

Faccio tante foto e le metto su Fotolog...
Mi faccio i piercing e metto le foto su Fotolog...
Mi faccio una raglia e metto le foto su Fotolog...
Sono una vera raver perché conosco i ravers su Fotolog...
Alle feste ascoltiamo musica...
balliamo...
se non sei sotto cassa sei sfigato...
se non pippi ketamina sei sfigato...
se sei felice anche senza sei sfigato...
sfigato sfigato sfigato...
una volta un mio amico mi ha detto che tutte le guardie sono infami...
il mio amico spaccia roba tagliata alle feste...
il mio amico è un grande...
il mio amico è il migliore amico dell'uomo...
Una volta mia madre mi ha detto che si comincia con gli spinelli...
una volta una mia amica mi ha detto che si comincia con la ketamina...
nel dubbio... mi sono fatta una pera...
Amo i djs...
amo le casse...
amo stare sotto le casse...
Una volta mio nonno mi ha detto che le casse sono per i morti...
nel dubbio io sto lontana dalle casse...
Mi vesto da straccione perché fa rave...
Se non hai la giacca da snowboard non sei rave...
Se non sei a due feste contemporaneamente non sei rave...
Se non sei raver non puoi venire alle feste...
Non le capiresti...

Respect yourself...
Respect the others...
Respect Spruzzak...
Respect Frannyna90!

3. RAVE ME TENDER. IL TEKNIVAL IN DIECI DISCIPLINE

di Cleopatra Mancini

I - *Cronaca*

Nei giorni compresi tra venerdi 10 e giovedi 16 agosto si è svolto a Baudenasca, nei pressi di Pinerolo, il teknival 2007. Per "teknival" si intende un rave party – o, più precisamente, free party, in quanto totalmente gratuito – di grandi dimensioni, al quale prendono parte molte delle tribe – ovvero gruppi, ciurme, squadriglie organizzatrici – tekno[1] più rilevanti del panorama musicale underground. Il luogo scelto dai raver è stato l'ex ballatoio della caserma Nizza Cavalleria, che, come da prassi, è stato reso noto solo all'ultimo momento. I primi partecipanti sono arrivati sul posto nella notte di venerdì. Sabato sera le presenze erano dodicimila, per toccare una punta stimata di trentamila nella notte di ferragosto. Tra i partecipanti, la metà circa erano italiani; tra gli stranieri, netta predominanza francese con una discreta presenza di tedeschi, spagnoli, olandesi e cechi. La festa, nonostante l'assenza di servizi e regole, e l'afflusso senza precedenti per l'Italia, si è svolta in armonia: non si è segnalato alcun incidente, nessun episodio violento e nessuna emergenza sanitaria. Una ventina i fermati, per lo più per possesso di irrisorie quantità di sostanze illegali. Nonostante l'isteria mediatica, la popolazione del luogo ha accettato la cosa alternando curiosità e fastidio, stupore e tolleranza; qualche politico ha gridato all'allarme

[1] Con il termine "tekno" si intende la musica techno – in genere più veloce, violenta e artigianale – nata e sviluppatasi all'interno del movimento dei free party.

ma è stato smentito dai fatti, mentre il sindaco di Pinerolo, pur facendo presente di non gradire, si è mostrato persona responsabile fornendo autobotti e bagni chimici.

II - *Storia*

Non è questa la sede per discutere la storia dei free party; basterà sapere che la faccenda comincia nei primi anni '90, che i soundsystem li inventarono i giamaicani mentre la techno moderna nasce a Detroit negli anni '80 (e la free tekno in Europa un decennio più tardi con gli Spiral Tribe), che il movimento rave era stato dato per morto già all'inizio degli anni zero, e che il teknival del 2006 aveva avuto luogo nel pavese.

III - *Geografia*

La location scelta non è proprio un paradiso: si tratta di una spianata da esercitazioni che alterna prati brulli, macchie di acacie e l'argine di un fiume. Da un lato cade subito l'immagine di violatori della natura incontaminata affibbiata ai raver da parte di alcuni organi di stampa, dall'altro appare innegabile che la ripulitura di un'area così vasta non sarà banale. Il luogo era già stato teatro di un teknival, seppur di dimensioni minori, nel 2005. Pinerolo dista qualche chilometro. La popolazione si mostra meno incattivita di quanto la dipingano i giornali. Si nota anzi una certa curiosità: non solo negozianti e passanti chiedono, si interessano, esprimono dubbi e perplessità, ma molti vanno a constatare di persona cosa sta accadendo. Un paio di baristi spiccano per l'attitudine "pro-rave": sicuramente c'entra il volume di affari moltiplicato, ma un ruolo ce l'ha anche lo scoprire che il teknuso non è un vandalo assetato di sangue ma (solitamente) una persona piuttosto allegra e gentile. Carabinieri, finanza e polizia controllano a distanza, dedicandosi per lo più alla perquisizione delle auto, in un dispiegamento di forze del tutto sproporzionato per un evento pacifico.

IV - *Urbanistica*

La prima cosa che colpisce sono le dimensioni. Mentre da tempo si discute della fine del movimento, il movimento dà vita alla sua festa più grande. Il baccanale si estende per qualche chilometro, con vari punti chiave. Si tratta di una vera e propria città artificiale: il progressivo collocamento di bancarelle, furgoni e auto forma le strade; i dancefloor davanti ai soundsystem più grossi fungono da piazze; i boschi punteggiati di tende e furgoni sono i sobborghi. Alcuni sound, come quello combinato di Hazard Unitz, Nonem e Sbandao Bullets, colpiscono per potenza e grandezza: a vedere questi muri di casse alti quattro o cinque metri e lunghi trenta, non possono non venire in mente le economie di scala, spostate dall'industria manifatturiera alla tekno.

V - *Economia*

Ogni città ha una sua economia, e in quella del teknival c'è una microeconomia, che ricorda i suq nordafricani. Ovunque spuntano banchetti che vendono di tutto, dalle bottiglie d'acqua ai monili, dal cous-cous alle sostanze psicotrope. Alcuni offrono un singolo prodotto, come il banchetto della frutta, altri cambiano business con l'evolversi della festa: Marianna, trentadue anni, da Perugia, alle 19:30 vende hamburger; venderà speed alle 23:00 e caffè e buondì alle 8:00. C'è pure un tipo che vende una moto. Colpisce vedere banchetti che espongono cartelloni con listini del tipo "Speed: 10€ – MDMA(capsule): 10€ – Ketamina: 35€", e non tanto perché non si è soliti vedere sostanze illegali vendute come zucchine al mercato, ma anche per i prezzi popolari a cui vengono proposte. Non c'è grande speculazione nello spaccio, al teknival:

basta osservare la perizia con cui il tipo della ketamina prepara le buste, mostrando a ogni cliente il peso della tara, per capire che il suo atteggiamento è quello di chi sta svolgendo un servizio. Liz, ventiquattro anni, belga, vende cristalli di MDMA: mezzo grammo, trenta euro. "Quanto ci guadagni?" "Mi rifaccio le spese del viaggio e qualche extra". C'è pure spazio per un po' di imprenditoria, sia reale (René, francese, vende abiti di sua creazione; Sara e Teo, romani, braccialetti d'acciaio artigianali) che ironica (un tipo ha inventato il "turbonose", una specie di aspirapolvere in miniatura: "il regalo perfetto per chi pippa troppa speed", ci spiega).

VI - *Politica*

È chiaro che una manifestazione sudicia e chiassosa in cui si consumano sostanze illecite e in cui ognuno fa quel che gli pare non sia troppo gradita alle istituzioni. È anche vero, però, che il fatto che un motore a sostanze chimiche da decine di migliaia di persone giri per sei giorni senza incidenti, potebbe suggerire la necessità di riconsiderare l'effettiva dannosità di alcune di tali sostanze. Quella delle droghe pare in ogni caso solo la più facile scappatoia per chi vuole criticare: un po' tutti si sono ormai resi conto che nella società contemporanea stanno ovunque, e qui sono solo più visibili che altrove. Alcuni tra i critici della manifestazione se ne rendono conto e preferiscono puntare il dito sulla sporcizia (Innegabile. Ma indignarsi per qualche sacco di spazzatura in un campo, quando tutte le città italiane sforano il limite di PM10 non appare un po' grottesco?) o sull'assenza di misure di sicurezza (questa, pure, è vera, ma una misura di sicurezza c'era: il rispetto. Se qualcuno anche solo ti sfiora, è subito tutto uno scusarsi, un darsi la mano, un offrire un sorso d'acqua o un tiro di canna). Se le critiche da destra non stupiscono, danno più da pensare quelle da sinistra. Il rave non è sgradito solo a quella sinistra che, per necessità di governo e logiche di potere, diventa simile alla destra:

anche quella cosiddetta "radicale", in teoria vicina a qualunque movimentismo, fa fatica ad accettare tutta questa storia dei rave. A pensarci bene, però, è naturale: il marxista, o il postmarxista, non è in grado di spiegarsi un movimento che rifiuta aprioristicamente una logica di cambiamento: l'utopia tekno è "qui e ora", il momento psichedelico si realizza nella visione, nessuno ha pretese di cambiamento del sistema che rifiuta. La festa è qui, adesso; quando finisce, tutti a casa. La tekno crea la sua area di utopia, non cerca proseliti, non vuole la rivoluzione: la sua rivoluzione c'è già, e dura una notte (o sei), al massimo agisce nelle menti. Aggiungiamoci che il movimento rifiuta violentemente un'etica del lavoro ancora ben radicata nell'estrema sinistra, e risulta evidente che dal punto di vista di chi ha una formazione marxista questo non può essere un movimento politico. Eppure lo è: il teknival, pur non volendolo essere programmaticamente, è una manifestazione libertaria e antiproibizionista e una dimostrazione di democrazia diretta (o di pirateria sociale, a seconda dei punti di vista), dal momento che grazie alla volontà di una massa di persone vengono fissate temporaneamente nuove leggi alla faccia del "sistema". Volendo dare etichette, il movimento tekno è collocabile nell'area dell'anarchismo, ma è un anarchismo per nulla incazzato, mistico senza essere misticheggiante, individualista e collettivo insieme, edonista e sensuale ma non sessuale (non si può non notare la generale monogamia del teknuso). I testi filosofici che più si avvicinano alla Weltanschauung del movimento sono *Walden* di Thoreau e *T.A.Z.* di Hakim Bey, ma voler trovare un collegamento diretto sarebbe una forzatura. Dice Marek, 24 anni, operaio, madre italiana e padre serbo: "Quello che ci interessa è fare baldoria, creare almeno per una sera un'alternativa alla pappa che ci vogliono imporre. Ho preso due giorni di ferie per venire qua da Vienna, dove lavoro. Le droghe? I bar di tutta Europa ne spacciano ogni giorno una che da sola fa più morti di tutte queste messe insieme".

Stimolanti e psichedelici restano comunque il nocciolo della questione quanto la musica. Spiega Erik, da Grenoble: "Il legame tra sostanze e movimento non è casuale. Non dico che non si possa apprezzare la nostra musica senza certe sostanze, ma è innegabile che tra MDMA, speed, e musica tekno c'è una sinergia che è ovvia a chi ha provato e che rimarrà ignota a chi non lo ha fatto". Le sostanze intorno a cui gira il teknival sono fondamentalmente quattro (anche se oppio e coca non mancano, sono meno definitorie, e secondo alcuni sintomo di una degenerazione dei consumi): MDMA, LSD, speed e ketamina. I ruoli di ciascuna sono piuttosto definiti: l'MDMA è la sostanza per ballare: la sua diffusione accompagna la nascita stessa del movimento, e il suo effetto empatogeno ed entactogeno contribuisce a creare il clima da fratellanza universale tipico del free party. L'LSD potenzia le percezioni e incrementa la portata mistica dell'esperienza; la speed non è che carburante: metanfetamine per stare svegli, sopportare la fatica e ballare a oltranza, specie quando l'MDMA, che dura solo quattro-cinque ore, va giù. La ketamina, infine, un anestetico riscoperto dal popolo dei rave (dopo John Lily) dissocia e crea nuove significanze (per alcuni, come Margherita, ventisei anni, ricercatrice bolognese, "sostituisce l'acido: mi dà la profondità che cerco nell'esperienza senza farmi star fuori per otto ore", per altri, come Elena, diciannove anni, dalla Val di Pesa, "è il succo di tutto: spazializza la percezione del corpo, fonde la mente con l'ambiente circostante"), oppure rimette in sesto chi è troppo "indurito" dagli stimolanti, o ancora conclude il discorso, porta l'annullamento dell'ego alle estreme conseguenze: la pre-morte, il sonno uterino.

Molti, anche se non tutti, si mostrano abbastanza competenti riguardo dosaggi, interazioni ed effetti. La canapa non è che un intercalare, neanche si nota. Si nota invece la scarsa presenza di alcol (unica eccezione, oltre alle birre, l'assenzio che un anziano nomade non molto tekno ci offre da un bottiglione d'argento). "Cerchiamo sensazioni", spiega Rex, scozzese ventiquattrenne, "quindi una sostanza come l'alcol, che le ottunde, è adatta giusto per l'inizio serata". Per ogni utente consapevole come Rex c'è anche un Pierre: "non sto troppo a calcolare cosa prendere, sono qui per sfasciarmi, ha ha". La tendenza è il cocktail, ma ci sono anche i puristi: Matteo, ventotto anni, impiegato a Trento, assume solo funghi o LSD: "cerco un'esperienza anzitutto estetica".

VIII - Estetica

L'esperienza estetica, va detto, ci sarebbe anche senza psichedelici. Se si riesce a guardare oltre gli aspetti più superficiali, la polvere, i cani, lo sporco, la gente addormentata per terra, il teknival ha una caratterizzazione estetica molto forte. A modo suo ha classe. Sta tra *Mad Max* e *Ken il guerriero*, tra il cyberpunk e l'hippy, tra il primitivo e il post-urbano. Quello che esce dai sound è figlio tanto dei tamburi voodoo quanto della filiera produttiva fordista. Anche la gente contribuisce all'effetto: se la direttiva principale è "fai quel che vuoi" (e infatti si va dallo splendore di una cybervenere al peggio tamarro in canotta), c'è ancora una certa personalizzazione individuale, pur all'interno di "direttive estetiche di movimento", e complessivamente bisogna ammettere che, no, il popolo del teknival non è cattivo, sporco e brutto: è bello. Naike, ventitré anni, "studentessa in vacanza permanente", parigina, ammette candidamente di "dedicare molto tempo alla cura del proprio aspetto fisico". Oggi l'estetica rave stupisce meno che dieci anni fa, ma ha saputo rimanere bella. Quello che i giornalisti non hanno detto, probabilmente solo perché se ne erano andati prima, è che quello che alcuni hanno definito "mefitico catino" (e lo è, di giorno), giunta finalmente la notte si trasforma. Quando le decine di soundsystem iniziano a sparare al massimo e le luci stroboscopiche diventano lame nel buio, quando ogni singolo dj cerca di dare il suo meglio e tutti escono dalle tende, dalle auto, dagli accampamenti raffazzonati e dal bosco per piazzarsi sotto le casse, e tutto prende a battere all'unisono, il teknival diventa uno spettacolo di una bellezza straziante.

IX - *Filosofia*

Non è scontato spiegare le ragioni profonde di un evento del genere. C'è chi ha trovato un parallelo tra i battiti delle sound e quello del cuore di una madre, spiegando il rave come un ritorno al ventre. C'è chi ha voluto vedere nell'uso puramente edonistico della tecnologia una critica al sistema industriale capitalistico. C'è chi ci vede piuttosto un rifiuto del divertimento mercificato, e chi una ricerca del delirio ad ogni costo. C'è chi ha provato a stilare un manifesto (interessante, ma troppo schierato e certo non esaustivo) e chi un decalogo[2] (eccessivamente pratico per essere chiarificatore: "5. Parcheggia bene..."). Sicuramente ci sono tutti questi elementi, ma la questione mistico-rituale è, almeno inconsciamente, dominante. Consideriamo i seguenti elementi:

– L'impianto scenografico-rituale, con officiante, fedeli in schiere orizzontali, luce dall'abside e transubstanziazione (in questo caso psichedelica) al centro dell'arco temporale, ricalca quello di una messa (e il profilo di un soundsystem quello di una cattedrale gotica, o di un organo – cos'altro aspettarsi, del resto, da francesi, inglesi e italiani?).

– L'idea del raduno notturno che celebra il mistero della

[2] 1. Rispetta la natura; 2. Rispetta te stesso; 3. Rispetta gli altri; 4. Se non vuoi lasciare il tuo cane a casa, prenditene cura; 5. Parcheggia bene; 6. Stai attento alle info della festa, tienile solo per te e i tuoi amici; 7. Sei responsabile per la tua sicurezza e per quella degli altri. Se vedi violenza, aggressioni, furti o altro, non esitare a dare il tuo aiuto; 8. Non danneggiare o rubare il materiale dei soundsystem; 9. Diffondi la tua empatia; 10. Sorridi, trasmetti energia positiva e comportati con correttezza, ricorda: la festa sei tu.

notte per arrivare al trionfo del mattino, è una costante in buona parte delle religioni pagane.

– I battiti ritmati (ce lo insegna tanto il voodoo quanto lo sciamanesimo siberiano) e la transe da essi indotta sono da sempre strumenti per avvicinarsi al divino.

– Le sostanze psichedeliche (e questo ce lo insegna tanto lo sciamanesimo messicano quanto i misteri greci) sono la porta più diretta per tentare di comunicare col trascendente.

– I grandi raduni amplificano la suggestione e aiutano a lasciare l'individualità terrena in favore di una collettività spiritualizzata.

– Attraverso la condivisione di un momento rituale si cerca una purificazione interiore (in questo caso dalle imposizioni e dai valori della società dei consumi) e una ridefinizione del sé.

La differenza sostanziale è che il rito non è più un mezzo ma si sovrappone allo scopo: tutto è declinato al presente. L'Era dell'Acquario dei figli dei fiori si è accoppiata col *No future* dei punk, ed ecco il risultato. Oppure la soluzione è più semplice, più alla portata. Dice Dino, settantadue anni, avventore di uno dei bar di Pinerolo più vicini alla curva per Baudenasca: "Se vengono fin qua – oh – vorrà dire che i divertimenti che hanno a casa loro sono peggio".

X - *Sociologia*

Un dato, infine, ci colpisce. Ce lo mostra Tania, ventotto anni, cagliaritana, dottoressa in Storia da un anno, alle feste da dieci: "Dite quello che volete, ma questo è l'unico movimento genuino prodotto dagli anni '90 e 2000. Non siamo nostalgici di qualche decennio passato: siamo – cioè... eravamo – contemporanei".

NOTA BIBLIOGRAFICA

La nota a p. 11 è tratta da *Underground: The London Alternative Press 1966-74* di Nigel Fountain, Routledge & Kegan Paul, London 1989.

I versi a p. 28 sono tratti da *Versi Nuovi* di Biagio Cepollaro, Oèdipus, Salerno 2004.

L'estratto alle pp. 62-63 è tratto da *Free party. Technoanomia per delinquenze giovanili* di Francesco @lter8 Macarone Palmieri, Meltemi, Roma 2002.

OPERE CITATE NEL TESTO:

De Haro Sarah, Estève Wilfrid, *3672 la free story*, Trouble-fête, Paris 2002.

Hofmann Albert, *LSD i miei incontri con Huxley, Jünger, Leary e Vogt*, Stampa Alternativa, Roma 1992.

Hofmann Albert, Corrias Pino, *Viaggi acidi. Albert Hofmann intervistato da Pino Corrias*, Stampa Alternativa, Roma 1992.

Kosmicki Guillaume, *Free party. Une histoire, des histories*, Le mot et le reste, Marseille 2010.

Lapassade Georges, *Dallo sciamano al raver. Saggio sulla transe*, Apogeo, Milano 1997.

Lowe Richard, Shaw William, *Traveller e raver. Racconti orali dei nomadi della nuova era*, Shake, Milano 1996.

McKay George, *Atti insensati di bellezza. Le culture di resistenza hippy, punk, rave, ecoazione diretta e altre TAZ*, Shake, Milano 2008.

Milani Lorenzo, *Anche le oche sanno sgambettare*, Stampa Alternativa/Nuovi equilibri, Roma 1995.

Rouget Gilbert, *Musica e trance*, Einaudi, Torino 1986.

Tagg Philip, *Popular music. Da Kojak al Rave*, CLUEB, Bologna 1994.

Thoreau Henry David, *Walden ovvero vita nei boschi*, Rizzoli, Milano 1988.
Turner Victor, *Il processo rituale*, Morcelliana, Brescia 2001.

SONO STATE INOLTRE RILEVANTI AI FINI DELLA STESURA LE OPERE:

Bey Hakim, *TAZ – Zone Temporaneamente Autonome*, Shake, Milano 1993.
Brewster Bill, Broughton Frank, *Last Night a DJ Saved My Life. La storia del disc jockey*, Arcana, Roma 2005.
Leary Timothy, *Il grande sacerdote*, Shake, Milano 2006.
Lyotard Jean-François, *La condizione postmoderna*, Feltrinelli, Milano 1981.
Mancassola Marco, *Last Love Parade*, Mondadori, Milano 2005.
Nutt David J., King Leslie A., Phillips Lawrence D., *Drug Harms in the UK: A Multicriteria Decision Analysis*, in "The Lancet", 376, 6 novembre 2010.
Pourtau Lionel, *Techno. Voyage au coeur des nouvelles communautés festives*, CNRS, Paris 2009.
Voudin Marie-Claude, *La musique techno, ou le retour de Dyonisos*, L'Harmattan, Paris 2004.
Xsephone, *Tecnologia, tribalismo e forme di nomadismo metropolitano*, tesi di laurea, Facoltà di Scienze Politiche, Università degli Studi di Milano 2001.

E I DOCUMENTARI:

Hauth Gunnar, *Free Tekno* (2010).
Uwe: *World traveller adventures* (2004, comprendente *23 Minute Warning, Storming Sarajevo, Mission to India, Africa Expedisound*).
Zambelli Andrea, *Tekno il respiro del mostro* (2011).

RINGRAZIAMENTI

Muro di casse presenta personaggi di finzione in contesti reali o adattati dal reale e non sarebbe stato possibile scriverlo senza le esperienze e le testimonianze di molti amici, sodali, conoscenti e sconosciuti. Particolari ringraziamenti vanno a Jamie (Desert Storm), Nancy (Tomahawk), Ixi (Spiral Tribe), Jonny (Revolt99), Alekappa (OTK), Pumpy Flex (Megatron). Ringrazio inoltre Warbear per l'estratto e Diego, Fabiagio, Federico, Francesco, Gabriele, Gregorio e Veronica per l'apporto in fase di revisione.

INDICE DEL VOLUME

Perché VII

IACOPO - I SENSI 11

CLEO - L'INTELLETTO 47

VIRIDIANA - LO SPIRITO 83

Appendici 113

Nota bibliografica 131

Ringraziamenti 133